초등 연산의 기준

칸토의 연산

편리한 계산 전략

"초등 입학 후 우리 아이가 해야 할 수학은?"

우리 아이가 초등학교에 처음 입학할 때의 모습이 떠오릅니다. 머리도 혼자 감지 못하는 아이가 벌써 초등학생이 되어 많은 아이들과 교실에서 생활한다니 대견스러우면서도 한편으론 '아이가 40분 수업 시간 동안 집중하며 앉아 있을 수 있을까? 소변이라도 보면 어떻게 하지?' 등등 고민이 한가득이었지요.

기대 반 걱정 반으로 하루하루를 보내며 아이는 어느덧 별탈 없이 학교에 잘 적응하는 모습입니다. 걱정이 사라질 즈음 아이는 학교에서 생전 처음 단원 평가라는 시험을 보게 됩니다. 7살 때 100까지 막힘없이 세던 우리 아이라 당연히 100점을 맞았을 거라 생각했지만 아쉽게 한두 개 틀려 옵니다. '실수라고, 다음에 잘하겠지.'라고 넘겨 보지만 100점 맞기는 쉽지 않습니다. 혹시나 해서 "다른 친구들은 어떻게 봤니?"라고 물으면 "누구누구는 100점 맞았어!"라고 자기랑 상관없다는 듯이 무심코 하는 말에 마음이 무너집니다.

아차 싶어 이제부터 친구 엄마들에게 학원, 학습지 등 공부 정보를 수집하며 어떤 선택이 우리 아이에게 최선의 선택일지 갈등과 고민이 시작됩니다. 공부란 것을 제대로 해 보지 못했던 우리 아이는 자기랑 맞지 않는 공부를 부모의 계획에 따르며 어느 순간부터 부모와의 감정싸움이 시작됩니다. 부모님들이 초등 저학년에 많이 겪게 되는 고민거리입니다.

중학교에서 수학을 포기하는 아이들의 상당수가 초등 연산의 기초가 없어서라고 합니다. 자연수, 분수의 사칙연산을 어려워하는 아이들이 정수, 유리수의 사칙연산을 어려워하는 것은 당연합니다.

고등학교에서 수학을 포기하는 아이들의 상당수는 공부하는 습관이 몸에 배어 있지 않아서라고 합니다. 공부 계획을 세우고 공부하는 습관은 학교에서 따로 가르쳐주지 않습니다. 할 줄 아는 아이들만 공부 계획표를 꾸준히 작성하고 실천하지 나머지는 포기합니다. 단시간에 공부습관을 바로잡기는 시간이 너무 부족합니다.

그렇다면 우리 아이가 초등학생 때 해야 할 수학은 무엇일까요?

공부 습관과 수학에 대한 자신감을 기르는 것입니다. 그런데 이 둘은 모두 연산 학습으로 잡을 수 있습니다.

연산은 매일 꾸준히 지치지 않고 하는 것이 핵심입니다. 꾸준한 연산 학습은 연산 실력을 향상시킬 수 있을 뿐만 아니라 앞으로의 공부 습관과 태도를 형성할 수 있는 매우 중요한 학습 방법입니다. 처음에는 개념 위주로 연산의 정확도를 목표로 학습하고 꾸준히 연습하면 속도는 저절로 올라가니 처음부터 속도에 욕심내지 마세요. 그리고 연산 학습과 더불어 공부 시간을 10분, 20분, ……, 60분으로 늘려나가며 공부 체력을 길러 주세요.

연산을 잘하면 무엇이 좋을까요?

수업 시간에 대답도 잘하고 선생님께 칭찬을 받아 자신감이 올라갑니다. 또 아이는 잘하려는 마음이 생겨서 노력하게 되고 성취하게 되며 칭찬을 받게 되는 과정을 되풀이하여 결국 자신감을 넘어 자존감이 올라가게 됩니다.

또한 초등 저학년 수학 내용은 반 이상이 연산이라 연산을 잘하면 저학년 수학을 잘할 수 있습니다. 그리고 도형, 측정과 같은 다른 영역에서 넓이, 부피, 시간, 각도 등을 구할 때에도 연산이 중요하게 사용되므로 결국 수학을 잘한다는 것으로 이어집니다.

초등학교는 대학입시를 준비하는 단계가 아닙니다. 초반부터 무리하게 시작하는 것보다 아이에 맞게 공부 시간과 난이도를 조절해 보세요. 초등 공부 습관과 자신감은 중·고등 시기에 학업 성취를 높여 주는 발판이 될 것입니다. 나아가 하루하루 쌓여 끈기가 되고 인생을 살아가는 지혜가 될 것입니다.

"초등 6년 연산
학년별로 이것만은 꼭 알고 가요."

학년별로 성취해야 할 연산 내용을 미리 살펴보고, 부족한 부분을 정리해 보세요.

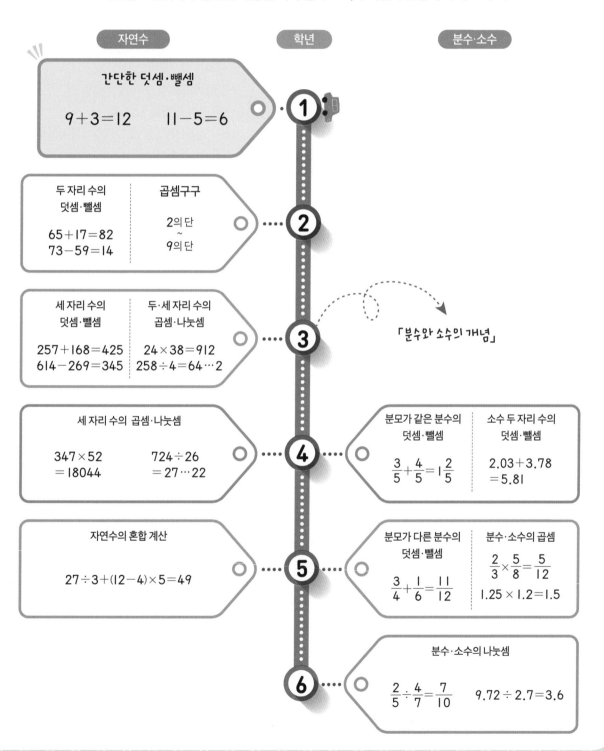

자연수 | 학년 | 분수·소수

①

간단한 덧셈·뺄셈

$9+3=12$ $11-5=6$

②

두 자리 수의 덧셈·뺄셈

$65+17=82$
$73-59=14$

곱셈구구

2의 단
~
9의 단

③

세 자리 수의 덧셈·뺄셈

$257+168=425$
$614-269=345$

두·세 자리 수의 곱셈·나눗셈

$24×38=912$
$258÷4=64\cdots2$

「분수와 소수의 개념」

④

세 자리 수의 곱셈·나눗셈

$347×52$
$=18044$

$724÷26$
$=27\cdots22$

분모가 같은 분수의 덧셈·뺄셈

$\frac{3}{5}+\frac{4}{5}=1\frac{2}{5}$

소수 두 자리 수의 덧셈·뺄셈

$2.03+3.78$
$=5.81$

⑤

자연수의 혼합 계산

$27÷3+(12-4)×5=49$

분모가 다른 분수의 덧셈·뺄셈

$\frac{3}{4}+\frac{1}{6}=\frac{11}{12}$

분수·소수의 곱셈

$\frac{2}{3}×\frac{5}{8}=\frac{5}{12}$

$1.25×1.2=1.5$

⑥

분수·소수의 나눗셈

$\frac{2}{5}÷\frac{4}{7}=\frac{7}{10}$ $9.72÷2.7=3.6$

단계별 구성

유아/3단계

단계	권	주제
5세	1	1부터 5까지의 수
	2	6부터 9까지의 수
	3	1부터 9까지의 수
	4	덧셈과 뺄셈의 기초
6세	1	0부터 10까지의 수
	2	10까지의 수에서 더하기·빼기 1
	3	20까지의 수에서 더하기·빼기 1, 10
	4	20까지의 수에서 더하기·빼기 1, 2, 10
7세	1	합이 9까지의 덧셈
	2	9까지의 뺄셈과 덧셈·뺄셈
	3	50까지의 수에서 더하기·빼기 1, 2, 10
	4	받아올림·내림 없는 (두 자리 수±한 자리 수)

초등/6단계

단계	권	주제
초1	1	덧셈구구
	2	뺄셈구구
	3	편리한 계산 전략
	4	100까지의 수, 받아올림·내림 없는 (두 자리 수±두 자리 수)
초2	1	받아올림·내림 있는 (두 자리 수±한 자리 수)
	2	받아올림·내림 있는 (두 자리 수±두 자리 수)
	3	곱셈의 기초와 곱셈구구(1)
	4	곱셈구구(2)
초3	1	받아올림·내림 있는 (세 자리 수±세 자리 수)
	2	나눗셈구구
	3	(세 자리 수×한 자리 수), (두 자리 수×두 자리 수)
	4	분수와 소수의 기초
초4	1	큰 수
	2	곱셈과 나눗셈
	3	분모가 같은 분수의 덧셈과 뺄셈
	4	소수의 덧셈과 뺄셈
초5	1	자연수의 혼합 계산
	2	약수와 배수, 약분과 통분
	3	분모가 다른 분수의 덧셈과 뺄셈
	4	분수의 곱셈, 소수의 곱셈
초6	1	분수의 나눗셈
	2	소수의 나눗셈
	3	비와 비율
	4	비례식과 비례배분

칸토의 연산 시리즈

- 연산의 원리부터 재미있는 퍼즐형 문제까지 다루는 기본 난이도의 연산 교재
- 나선형 반복 학습과 확장 커리큘럼
- [칸토의 연산] ➡ [응용 연산]으로 이어지는 기본·심화 연산 학습 설계
- 단계별 4권, 9단계 총 36권 구성
- 한 단계 4개월 완성
- 학년별 교과서 진도와 맞춤 병행

이 책의
구성과 특징

- 하루 2쪽, 매주 5일씩 4주 동안 완성하는 연산 프로그램이에요.
- 연령별 아이의 학습 눈높이와 학습 체력에 맞게 쉬운 난이도와 하루 10분 정도의 학습 분량으로 구성하였어요.

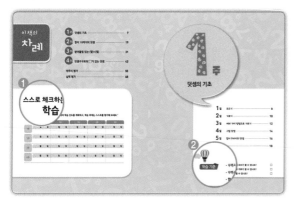

1 학습 안내 무엇을 공부할까요?

❶ 스스로 학습 진도를 계획하고 실천해 보세요.

❷ 이번 주에 꼭 알아야 할 학습 기준을 체크해요.
공부 전에 간단히 살펴보고, 한 주 공부가 끝나면 공부한 내용을 잘 알고 있는지 반드시 확인해 보세요.

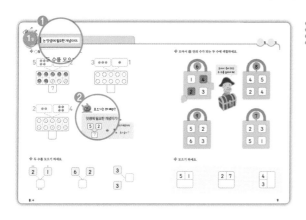

2 일일 학습 매주 5일씩 4주 동안 공부해요.

❶ 일일 학습 목표를 효율적으로 달성하기 위한 학습 목표 및 노하우를 담았어요. 무엇을 공부하는지 미리 알고 가는 공부는 목표 달성률이 훨씬 높답니다.

❷ 연산의 개념, 원리뿐만 아니라 궁금증을 해결할 수 있는 학습 노하우를 꼭 확인하세요.

3 확인 학습

이번 주 배운 내용을 잘 알고 있나요?

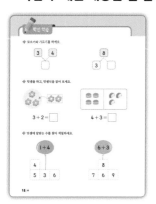

4 마무리 평가+실력 평가

4주 동안 배운 내용을 잘 알고 있나요?

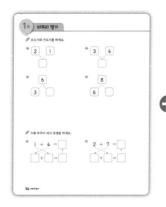

이 책의 차례

스스로 체크하는
학습 진도표

"일일 학습을 시작하기 전에 날짜를 기록하여 학습 진도를 계획하고, 학습 후에는 스스로를 평가해 보세요."

	1일		2일		3일		4일		5일	
1주	월	일	월	일	월	일	월	일	월	일
2주	월	일	월	일	월	일	월	일	월	일
3주	월	일	월	일	월	일	월	일	월	일
4주	월	일	월	일	월	일	월	일	월	일

1주

받아올림 있는 (몇)+(몇) 전략

학습 기준

- 더하기 9를 10을 더하고 1을 빼는 방법으로 계산할 수 있나요? ☐
- 더하기 8을 10을 더하고 2를 빼는 방법으로 계산할 수 있나요? ☐
- 5를 이용하여 덧셈을 할 수 있나요? ☐

➕ 더하기 **9**를 먼저 **10**을 더하는 방법으로 계산하세요.

9를 더하는 것은

10을 더한 다음
1을 빼는 것과 같아.

$+9$

$+10$ -1

$=$

$$6 + 9 = \boxed{16} - 1 = \boxed{15}$$
10   -1

$$3 + 9 = \boxed{} - 1$$
10   -1
$= \boxed{}$

$$8 + 9 = \boxed{} - 1$$
10   -1
$= \boxed{}$

$$5 + 9 = \boxed{} - 1$$
10   -1
$= \boxed{}$

$$7 + 9 = \boxed{} - 1$$
10   -1
$= \boxed{}$

➕ 더하기 9를 계산하세요.

$$4 + 9 = \boxed{}$$

10 $\quad$ −1

$$6 + 9 = \boxed{}$$

10 $\quad$ −1

$$2 + 9 = \boxed{}$$

$$9 + 9 = \boxed{}$$

9개를 더하는 것은 10개를 더하고 1개를 빼는 것과 같아.

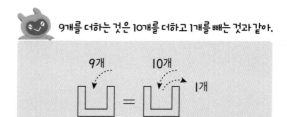

➕ 빈칸에 알맞은 수를 쓰세요.

5 $\quad$ +9 $\quad$ ⬜

+10

⬜ $\quad$ −1

$$5+9$$
$$=5+10-1$$

8 $\quad$ +9 $\quad$ ⬜

+10

⬜ $\quad$ −1

➕ 더하기 8을 먼저 10을 더하는 방법으로 계산하세요.

8을 더하는 것은

10을 더한 다음 2를 빼는 것과 같아.

$$5 + 8 = \boxed{15} - 2 = \boxed{13}$$

10   −2

$$7 + 8 = \boxed{} - 2$$

10   −2

= $\boxed{}$

$$4 + 8 = \boxed{} - 2$$

10   −2

= $\boxed{}$

$$6 + 8 = \boxed{} - 2$$

10   −2

= $\boxed{}$

$$9 + 8 = \boxed{} - 2$$

10   −2

= $\boxed{}$

➕ 더하기 **8**을 계산하세요.

$3 + 8 =$ ☐
10   −2

$6 + 8 =$ ☐
10   −2

$8 + 8 =$ ☐

$5 + 8 =$ ☐

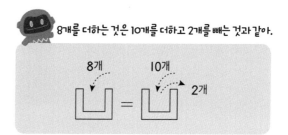

8개를 더하는 것은 10개를 더하고 2개를 빼는 것과 같아.

➕ 관계있는 것끼리 선으로 이으세요.

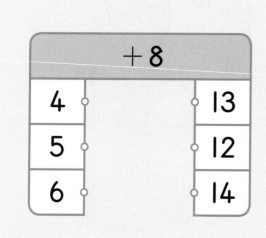

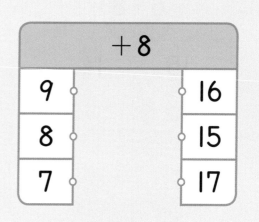

11

➕ 덧셈에 맞는 선풍기 날개에 색칠하세요.

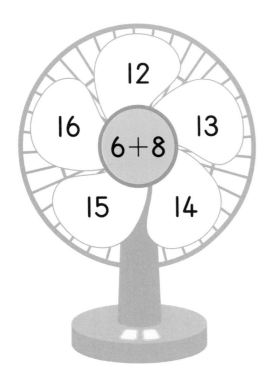

➕ 알맞은 길을 그리세요.

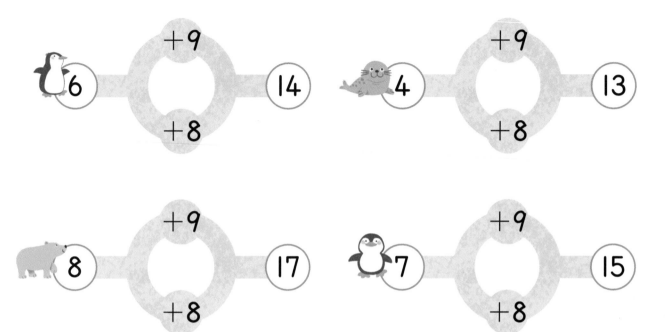

➕ 덧셈을 하여 빈칸에 알맞은 수를 쓰세요.

➕ 그림을 보고 **5**를 이용하여 덧셈을 하세요.

$$9 + 5 = 10 + \boxed{4} = \boxed{14}$$

① 9를 5와 어떤 수로 갈라요.
② 5끼리 더한 다음 남은 수를 더해요.

앞수와 뒷수를 각각 5와 어떤 수로 갈라.

5끼리 더하면 10, 나머지 수끼리 더하면… 쉽겠지?

$$7 + 6 = 10 + \boxed{} = \boxed{}$$

① 7과 6을 각각 5와 어떤 수로 갈라요.
② 5끼리 더하고 남은 수끼리 더해요.

➕ **5**를 이용하여 덧셈을 하세요.

$$7 + 5 = 10 + \boxed{}$$

$$6 + 5 = 10 + \boxed{}$$

$$9 + 6 = 10 + \boxed{}$$

$$6 + 8 = 10 + \boxed{}$$

➕ 5를 이용하여 덧셈을 하세요.

$$5 + 7 = \boxed{}$$
5　2

$$9 + 5 = \boxed{}$$

$$6 + 8 = \boxed{}$$
5 ┃ 5　3

$$7 + 9 = \boxed{}$$

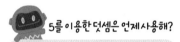

5를 이용한 덧셈은 언제 사용해?

더해지는 수와 더하는 수가 모두
5보다 크거나 같을 때 사용해.
5+6, 6+7, ……

➕ 가운데 수를 이웃한 수와 더하여 바깥쪽 빈 곳에 쓰세요.

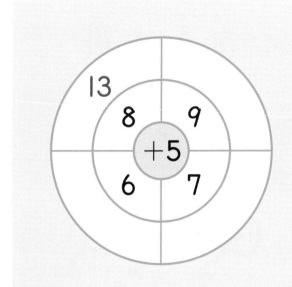

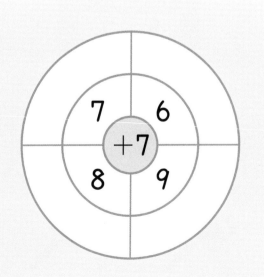

5를 이용한 덧셈 연습

5보다 크거나 같은 수끼리 더할 때 사용해.

➕ 알맞은 열쇠에 ◯표 하세요.

7 + 8

16   14   15

9 + 5

14   13   15

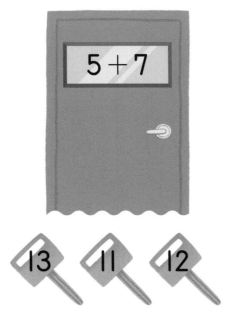

5 + 7

13   11   12

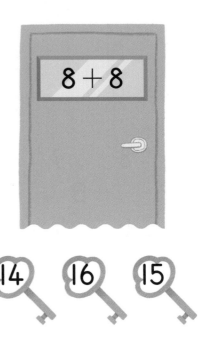

8 + 8

14   16   15

➕ 가로, 세로, 대각선으로 이웃한 두 수의 합이 🌗 안의 수가 되는 두 수를 찾아 묶으세요. (단, 2가지 방법이 있습니다.)

12

3	7	2
8	6	9
7	5	6

15

6	3	8
6	7	2
9	5	6

자물쇠를 열어 봐!

➕ □ 안에 알맞은 수에 색칠하세요.

⑥ ⑤ ⑦   7 + □ = 13

⑧ ⑥ ⑦   □ + 8 = 15

➕ 더하기 **9**와 더하기 **8**을 계산하세요.

$$5 + 9 = \boxed{} - 1$$
10   −1
$$= \boxed{}$$

$$4 + 8 = \boxed{} - 2$$
10   −2
$$= \boxed{}$$

➕ **5**를 이용하여 덧셈을 하세요.

$$5 + 8 = 10 + \boxed{}$$
5 3
$$= \boxed{}$$

$$9 + 6 = 10 + \boxed{}$$
5 4 5 1
$$= \boxed{}$$

➕ 가운데 수와 이웃한 수를 더하여 바깥쪽 빈 곳에 쓰세요.

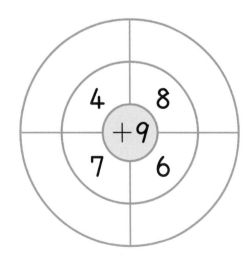

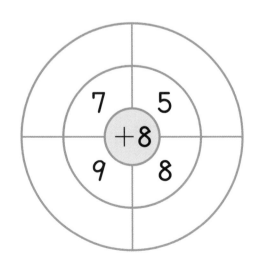

2주

받아내림 있는 (십몇)-(몇) 전략

학습 기준

- 빼기 9를 10을 빼고 1을 더하는 방법으로 계산할 수 있나요? ☐
- 빼기 8을 10을 빼고 2를 더하는 방법으로 계산할 수 있나요? ☐
- 같은 수의 덧셈과 반이 되는 뺄셈을 할 수 있나요? ☐

빼기 9 는 먼저 10을 뺀 다음 1을 더하는 것과 같아.

➕ 빼기 9를 먼저 10을 빼는 방법으로 계산하세요.

9를 빼는 것은

10을 뺀 다음 1을 더하는 것과 같아.

$$16 - 9 = \boxed{6} + 1 = \boxed{7}$$
-10 $+1$

$$14 - 9 = \boxed{} + 1$$
-10 $+1$
$$= \boxed{}$$

$$12 - 9 = \boxed{} + 1$$
-10 $+1$
$$= \boxed{}$$

$$18 - 9 = \boxed{} + 1$$
-10 $+1$
$$= \boxed{}$$

$$15 - 9 = \boxed{} + 1$$
-10 $+1$
$$= \boxed{}$$

➕ 빼기 9를 계산하세요.

$$13 - 9 = \boxed{}$$
$-10 \quad +1$

$$17 - 9 = \boxed{}$$
$-10 \quad +1$

$$15 - 9 = \boxed{}$$

$$16 - 9 = \boxed{}$$

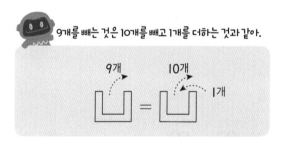

9개를 빼는 것은 10개를 빼고 1개를 더하는 것과 같아.

➕ 빈칸에 알맞은 수를 쓰세요.

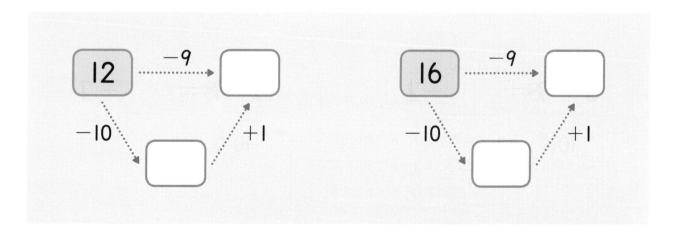

빼기 8 은 먼저 10을 뺀 다음 2를 더하는 것과 같아.

➕ 빼기 8을 먼저 10을 빼는 방법으로 계산하세요.

8을 빼는 것은

10을 뺀 다음 2를 더하는 것과 같아.

-8 $=$ -10 $+2$

$$14 - 8 = \boxed{4} + 2 = \boxed{6}$$

-10 $+2$

$$13 - 8 = \boxed{} + 2$$

-10 $+2$

$$= \boxed{}$$

$$15 - 8 = \boxed{} + 2$$

-10 $+2$

$$= \boxed{}$$

$$17 - 8 = \boxed{} + 2$$

-10 $+2$

$$= \boxed{}$$

$$12 - 8 = \boxed{} + 2$$

-10 $+2$

$$= \boxed{}$$

➕ 빼기 8을 계산하세요.

$$15 - 8 = \boxed{}$$
$$ {\scriptstyle -10 \quad +2}$$

$$11 - 8 = \boxed{}$$
$$ {\scriptstyle -10 \quad +2}$$

$$16 - 8 = \boxed{}$$

$$17 - 8 = \boxed{}$$

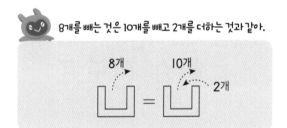

8개를 빼는 것은 10개를 빼고 2개를 더하는 것과 같아.

➕ 빈칸에 알맞은 수를 쓰세요.

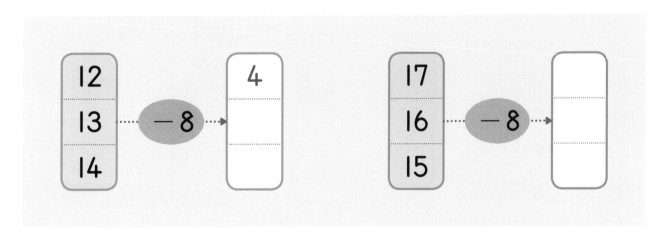

빼기 8, 9 연습 빼기 8, 9 이젠 쉽게 할 수 있지?

➕ 이웃한 두 수의 차를 위에 쓰세요.

9와 16의 차를 바로 위에 써야 해.

➕ 뺄셈에 알맞은 수에 색칠하세요.

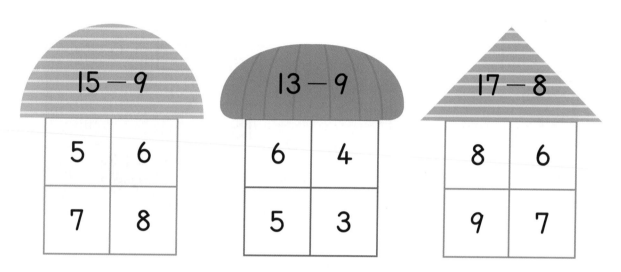

➕ 잘못 계산한 것을 모두 찾아 □ 안에 ✕표 하세요.

12 − 9 = 3 □   14 − 8 = 6 □

15 − 9 = 7 □   17 − 8 = 9 □

13 − 9 = 4 □   15 − 8 = 8 □

같은 수의 덧셈 은 큰 수의 덧셈에서도 자주 사용하니까 외워 두면 좋아.

➕ 덧셈을 하세요.

➕ 화살이 과녁에 2발씩 맞았어요. 점수의 합을 빈칸에 쓰세요.

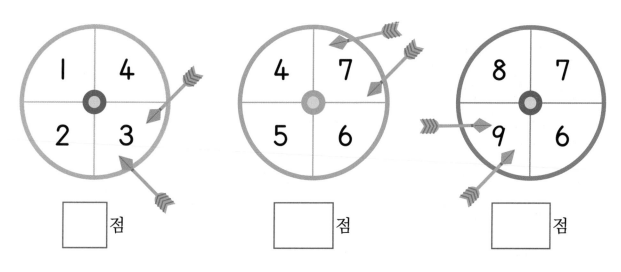

☐ 점   ☐ 점   ☐ 점

➕ 같은 모양은 같은 수를 나타내요. 모양 안에 알맞은 수를 쓰세요.

◯ + ◯ = 4   △ + △ = 10

☐ + ☐ = 8   ☆ + ☆ = 16

♡ + ♡ = 12   ⬠ + ⬠ = 18

5일 **반이 되는 뺄셈** 은 큰 수의 뺄셈에서 자주 사용해. 외워 둘 거지?

➕ 뺄셈을 하세요.

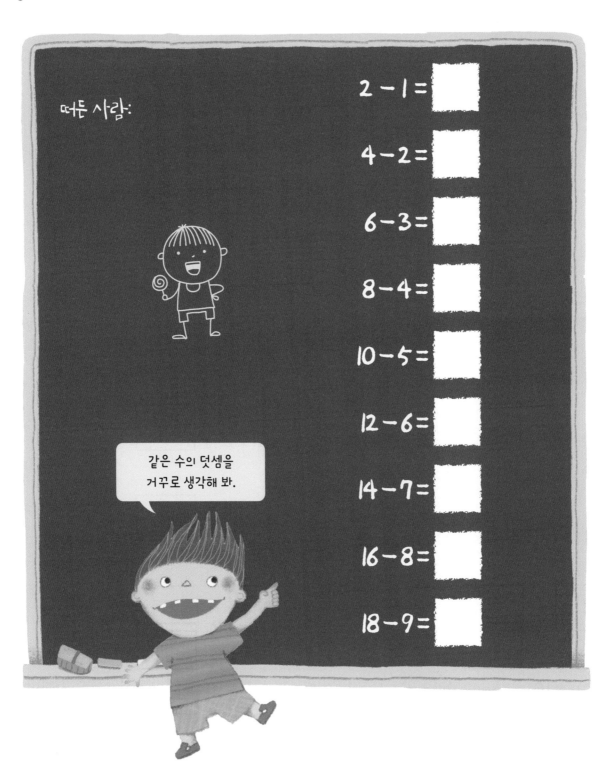

떠든 사람:

같은 수의 덧셈을
거꾸로 생각해 봐.

2 - 1 = ☐

4 - 2 = ☐

6 - 3 = ☐

8 - 4 = ☐

10 - 5 = ☐

12 - 6 = ☐

14 - 7 = ☐

16 - 8 = ☐

18 - 9 = ☐

➕ 뺄셈을 하세요.

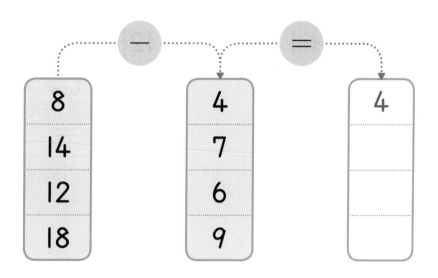

➕ 빈칸에 알맞은 수를 쓰세요.

$\boxed{} - 3 = 3$ $\boxed{} - 2 = 2$

$\boxed{} - 5 = 5$ $\boxed{} - 7 = 7$

$\boxed{} - 4 = 4$ $\boxed{} - 8 = 8$

➕ 빼기 9와 빼기 8을 계산하세요.

$$15 - 9 = \boxed{} + 1$$
$$\underset{-10 \quad +1}{\diagdown}$$
$$= \boxed{}$$

$$12 - 8 = \boxed{} + 2$$
$$\underset{-10 \quad +2}{\diagdown}$$
$$= \boxed{}$$

➕ 계산을 하세요.

$$4 + 4 = \boxed{}$$

$$6 - 3 = \boxed{}$$

$$8 + 8 = \boxed{}$$

$$18 - 9 = \boxed{}$$

➕ 빈칸에 알맞은 수를 쓰세요.

$$13 - \boxed{} = 5$$

$$16 - \boxed{} = 7$$

$$\boxed{} + 7 = 14$$

$$\boxed{} - 6 = 6$$

3주

감각을 이용한 덧셈, 뺄셈

학습 기준

• 규칙을 찾아 덧셈 또는 뺄셈을 쉽게 계산할 수 있나요? ☐

• 두 수의 덧셈에서 수를 10으로 만들어 계산할 수 있나요? ☐

• 두 수의 뺄셈에서 수를 10으로 만들어 계산할 수 있나요? ☐

• 합과 차에 맞는 두 수를 찾을 수 있나요? ☐

➕ 규칙을 찾아 덧셈을 하세요.

$4 + 5 = \square$

$4 + 6 = \square$

$4 + 7 = \square$

$4 + 8 = \square$

빨간 거미,
파란 거미.
어떤 규칙이
있을까?

$3 + 5 = \square$

$4 + 5 = \square$

$5 + 5 = \square$

$6 + 5 = \square$

$9 + 4 = \square$

$9 + 3 = \square$

$9 + 2 = \square$

$9 + 1 = \square$

$7 + 7 = \square$

$6 + 7 = \square$

$5 + 7 = \square$

$4 + 7 = \square$

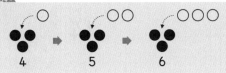

더하는 수가 1씩 커지면 합도 1씩 커져.

➕ 규칙을 찾아 덧셈을 하세요.

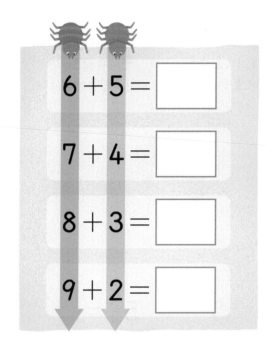

$6 + 5 =$ ☐

$7 + 4 =$ ☐

$8 + 3 =$ ☐

$9 + 2 =$ ☐

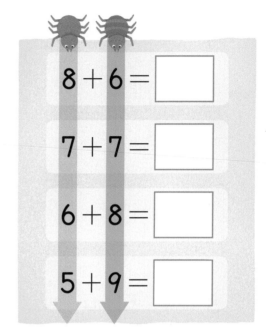

$8 + 6 =$ ☐

$7 + 7 =$ ☐

$6 + 8 =$ ☐

$5 + 9 =$ ☐

더해지는 수가 1씩 작아지고 더하는 수가 1씩 커지면
합은 변하지 않아.

➕ 규칙을 찾아 빈칸에 알맞은 수를 쓰세요.

$9 +$ ☐ $= 12$

$9 +$ ☐ $= 13$

$9 +$ ☐ $= 14$

$6 +$ ☐ $= 15$

$7 +$ ☐ $= 15$

$8 +$ ☐ $= 15$

10 만들어 더하기 는 하나의 수를 10으로 만들어 더하는 방법이야.

➕ 10을 만들어 덧셈을 하세요.

$$9 \; + \; 4 \; = \; \boxed{13}$$

$$\boxed{10} \; + \; \boxed{3} \; = \; \boxed{13}$$

(+1)   (−1)

10에 가까운 수를 10으로 만들어.

또 계산 결과가 변하지 않으려면 더한 수만큼 빼줘야 해.

$$8 \; + \; 5 \; = \; \boxed{}$$

$$\boxed{} \; + \; \boxed{} \; = \; \boxed{}$$

(+2)   (−2)

$$7 \; + \; 5 \; = \; \boxed{}$$

$$\boxed{} \; + \; \boxed{} \; = \; \boxed{}$$

(+3)   (−3)

$$6 \; + \; 9 \; = \; \boxed{}$$

$$\boxed{} \; + \; \boxed{} \; = \; \boxed{}$$

(−1)   (+1)

$$6 \; + \; 8 \; = \; \boxed{}$$

$$\boxed{} \; + \; \boxed{} \; = \; \boxed{}$$

(−2)   (+2)

✤ 10을 만들어 덧셈을 하세요.

$8 + 4 =$ ☐

10 + 2

$5 + 9 =$ ☐

4 + 10

$7 + 4 =$ ☐

$6 + 9 =$ ☐

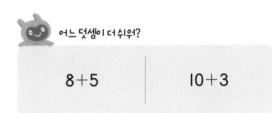

어느 덧셈이 더 쉬워?

| 8+5 | 10+3 |

✤ 관계있는 것끼리 선으로 이으세요.

$9 + 5$ ·　　· $10 + 1$ ·　　· 13

$6 + 7$ ·　　· $10 + 4$ ·　　· 11

$8 + 3$ ·　　· $3 + 10$ ·　　· 14

점점 커지고 작아지는 뺄셈

규칙을 찾아 뺄셈을 쉽게 해 봐.

➕ 규칙을 찾아 뺄셈을 하세요.

8 − 5 = ☐

9 − 5 = ☐

10 − 5 = ☐

11 − 5 = ☐

이번에도
빨간 거미,
파란 거미.

12 − 5 = ☐

12 − 6 = ☐

12 − 7 = ☐

12 − 8 = ☐

12 − 9 = ☐

11 − 9 = ☐

10 − 9 = ☐

9 − 9 = ☐

13 − 5 = ☐

13 − 4 = ☐

13 − 3 = ☐

13 − 2 = ☐

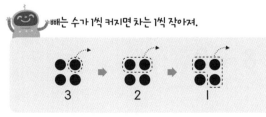

빼는 수가 1씩 커지면 차는 1씩 작아져.

3   2   1

➕ 규칙을 찾아 뺄셈을 하세요.

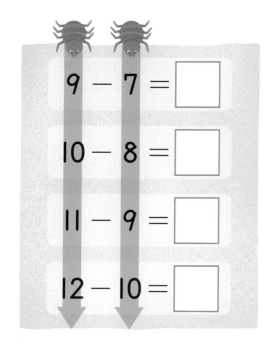

$9 - 7 = \boxed{}$

$10 - 8 = \boxed{}$

$11 - 9 = \boxed{}$

$12 - 10 = \boxed{}$

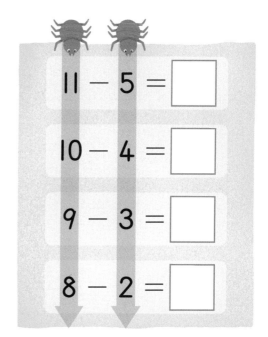

$11 - 5 = \boxed{}$

$10 - 4 = \boxed{}$

$9 - 3 = \boxed{}$

$8 - 2 = \boxed{}$

빼지는 수가 1씩 커지고 빼는 수도 1씩 커지면 차는 변하지 않아.

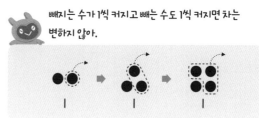

➕ 규칙을 찾아 빈칸에 알맞은 수를 쓰세요.

$12 - \boxed{} = 3$

$12 - \boxed{} = 4$

$12 - \boxed{} = 5$

$13 - \boxed{} = 7$

$12 - \boxed{} = 7$

$11 - \boxed{} = 7$

10 만들어 빼기 는 하나의 수를 10으로 만들어 빼는 방법이야.

➕ 10을 만들어 뺄셈을 하세요.

$$13 - 5 = \boxed{8}$$

↓ −3   ↓ −3   ↑

$$\boxed{10} - \boxed{2} = \boxed{8}$$

10에 가까운 수를
10으로 만들어.

뺄셈에서는 계산 결과가
변하지 않으려면
뺀 수만큼 빼거나
더한 수만큼 더해야 해.

$$11 - 7 = \boxed{}$$

↓ −1   ↓ −1   ↑

$$\boxed{} - \boxed{} = \boxed{}$$

$$12 - 4 = \boxed{}$$

↓ −2   ↓ −2   ↑

$$\boxed{} - \boxed{} = \boxed{}$$

$$16 - 9 = \boxed{}$$

↓ +1   ↓ +1   ↑

$$\boxed{} - \boxed{} = \boxed{}$$

$$17 - 8 = \boxed{}$$

↓ +2   ↓ +2   ↑

$$\boxed{} - \boxed{} = \boxed{}$$

➕ 10을 만들어 뺄셈을 하세요.

$$11 - 5 = \boxed{}$$
$$\downarrow \quad \downarrow$$
10 − 4

$$14 - 9 = \boxed{}$$
$$\downarrow \quad \downarrow$$
15 − 10

$$13 - 6 = \boxed{}$$

$$16 - 8 = \boxed{}$$

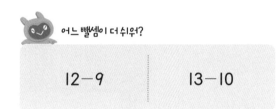

어느 뺄셈이 더 쉬워?

| 12−9 | 13−10 |

➕ 알맞은 길을 그리고, 계산을 하여 ◯ 안에 쓰세요.

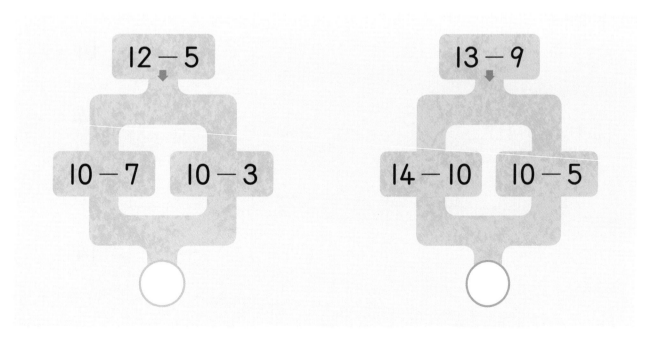

합·차 만들기 지금까지 익힌 수 감각을 이용하여 □ 안의 수를 모두 찾아봐.

➕ 빈칸에 10보다 작은 두 수를 넣어 주어진 수의 합을 만드세요. (단, 더하는 순서가 다른 식은 다른 것으로 봅니다.)

과자 15개와 토마토 14개를 언니랑 각각 나누어 먹어야 해.

합15

$$9 + 6 = 15$$

$$8 + \boxed{} = 15$$

$$\boxed{} + \boxed{} = 15$$

$$\boxed{} + \boxed{} = 15$$

합14

$$9 + \boxed{} = 14$$

$$8 + \boxed{} = 14$$

$$\boxed{} + \boxed{} = 14$$

$$\boxed{} + \boxed{} = 14$$

$$\boxed{} + \boxed{} = 14$$

➕ 빈칸에 **20**보다 작은 두 수를 넣어 두 수의 차가 **9**가 되게 만드세요.

나와 동생의 나이 차는
항상 **9**살이야.

차 9

$$19 - 10 = 9$$

$$18 - 9 = 9$$

$$17 - \boxed{} = 9$$

$$16 - \boxed{} = 9$$

$$\boxed{} - \boxed{} = 9$$

$$\boxed{} - \boxed{} = 9$$

$$\boxed{} - \boxed{} = 9$$

$$\boxed{} - \boxed{} = 9$$

$$\boxed{} - \boxed{} = 9$$

$$\boxed{} - \boxed{} = 9$$

차가 같으려면 빼지는 수와 빼는 수가 똑같이 변해야해.

(1씩 크게) $7 - 5 = 2$
$6 - 4 = 2$
(1씩 작게) $5 - 3 = 2$

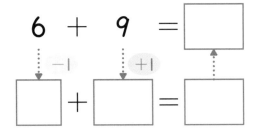

➕ 10을 만들어 덧셈을 하세요.

$$8 + 5 = \boxed{}$$

$$\boxed{}\ (+2) \qquad \boxed{}\ (-2)$$

$$\boxed{} + \boxed{} = \boxed{}$$

$$6 + 9 = \boxed{}$$

$$\boxed{}\ (-1) \qquad \boxed{}\ (+1)$$

$$\boxed{} + \boxed{} = \boxed{}$$

➕ 10을 만들어 뺄셈을 하세요.

$$12 - 5 = \boxed{}$$

$$\boxed{}\ (-2) \qquad \boxed{}\ (-2)$$

$$\boxed{} - \boxed{} = \boxed{}$$

$$13 - 9 = \boxed{}$$

$$\boxed{}\ (+1) \qquad \boxed{}\ (+1)$$

$$\boxed{} - \boxed{} = \boxed{}$$

➕ 빈칸에 10보다 작은 수를 넣어 서로 다른 덧셈식과 뺄셈식을 3개씩 만드세요.
(단, 더하는 순서가 다른 식은 다른 것으로 봅니다.)

$$\boxed{} + \boxed{} = 16$$

$$\boxed{} + \boxed{} = 16$$

$$\boxed{} + \boxed{} = 16$$

$$15 - \boxed{} = 7$$

$$14 - \boxed{} = 7$$

$$13 - \boxed{} = 7$$

4주

세 수의 계산

학습 기준

- 세 수의 합을 한 자리수인 두 수의 합으로 모아서 계산할 수 있나요? ☐
- 빼고 빼는 세 수의 계산을 뒤의 두 수부터 계산할 수 있나요? ☐
- 빼고 더하는 세 수의 계산을 뒤의 두 수부터 계산할 수 있나요? ☐
- 더하고 빼는 세 수의 계산을 뒤의 두 수부터 계산할 수 있나요? ☐

1일 모아서 더하기 는 세 수의 합을 한 자리 수인 두 수의 합으로 바꾸어 계산하는 방법이야.

➕ 두 수를 모아서 세 수의 덧셈을 하세요.

$$4 + 8 + 5 = \boxed{17}$$
$$\boxed{9} + 8$$

합이 한 자리 수가 되는
두 수를 먼저 더해 봐.

$$5 + 2 + 9 = \boxed{}$$
$$\boxed{} + 9$$

$$8 + 4 + 4 = \boxed{}$$
$$8 + \boxed{}$$

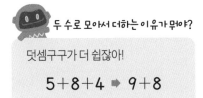

두 수로 모아서 더하는 이유가 뭐야?

덧셈구구가 더 쉽잖아!

$$5 + 8 + 4 \Rightarrow 9 + 8$$

➕ 세 수의 합을 한 자리 수인 두 수의 합으로 바꾸어 나타내세요.

$$7 + 3 + 5 = \boxed{} + \boxed{}$$

$$6 + 9 + 2 = \boxed{} + \boxed{}$$

$$5 + 4 + 9 = \boxed{} + \boxed{}$$

$$7 + 5 + 4 = \boxed{} + \boxed{}$$

➕ 관계있는 것끼리 선으로 이으세요.

2 + 9 + 7	8 + 8	18
4 + 4 + 9	9 + 9	17
8 + 3 + 5	8 + 9	16

➕ 세 수의 합이 가운데 수가 되도록 ◯ 안에 주어진 수를 한 번씩 쓰세요.

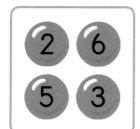

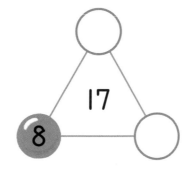

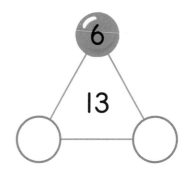

45

모아서 빼기 는 빼는 두 수를 한 번에 모아서 빼는 방법이야.

➕ 모아서 뺄셈을 하세요.

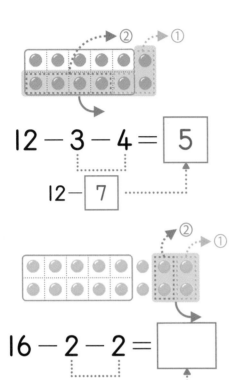

$$12 - 3 - 4 = \boxed{5}$$

$$12 - \boxed{7}$$

3개를 빼고 4개를 빼는 것은 결국 7개를 빼는 것과 같아.

$$16 - 2 - 2 = \boxed{}$$

$$16 - \boxed{}$$

$$15 - 3 - 6 = \boxed{}$$

$$15 - \boxed{}$$

➕ 빈칸에 알맞은 수를 쓰세요.

$$11 - 2 - 4 = 11 - \boxed{}$$

$$17 - 4 - 4 = 17 - \boxed{}$$

$$13 - 7 - 2 = 13 - \boxed{}$$

$$14 - 3 - 3 = 14 - \boxed{}$$

➕ 뒤의 두 수부터 간단히 계산하세요.

$16 - 3 - 4 = \boxed{}$
$\underset{-7}{\underbrace{}}$

$19 - 2 - 7 = \boxed{}$

$12 - 1 - 5 = \boxed{}$

$11 - 5 - 3 = \boxed{}$

➕ 빈칸에 알맞은 두 수를 찾아 쓰세요. (단, 2가지 방법 중 1가지만 씁니다.)

$14 - \boxed{} - \boxed{} = 6$

$11 - \boxed{} - \boxed{} = 5$

$12 - \boxed{} - \boxed{} = 6$

$15 - \boxed{} - \boxed{} = 8$

더하고 빼기 도 뒤의 두 수를 한 번에 계산하면 편리해.

➕ 세 수의 계산을 뒤의 두 수부터 간단히 계산하세요.

5개를 더하고 4개를 빼는 것은

1개를 더하는 것과 같아.

$$8 + 5 - 4$$
$$= 8 + \boxed{1} = \boxed{9}$$

5개를 더하고 8개를 빼는 것은

3개를 빼는 것과 같아.

$$9 + 5 - 8$$
$$= 9 - \boxed{} = \boxed{}$$

➕ 빈칸에 알맞은 수를 넣어 세 수의 계산을 간단히 하세요.

$$4 + 7 - 5 = 4 + \boxed{} = \boxed{}$$

$$7 + 8 - 9 = 7 - \boxed{} = \boxed{}$$

$$5 + 8 - 6 = 5 + \boxed{} = \boxed{}$$

➕ 뒤의 두 수부터 간단히 계산하세요.

$8 + 6 - 4 =$ ☐
$\underset{+2}{\underbrace{}}$

$11 + 2 - 7 =$ ☐
$\underset{-5}{\underbrace{}}$

$5 + 7 - 6 =$ ☐

$9 + 3 - 5 =$ ☐

 더하는 수가 더 큰지, 빼는 수가 더 큰지 살펴봐.

$\bigcirc + \triangle - \square$ ⟶ $\triangle > \square$ (더 더해요)
⟶ $\triangle < \square$ (더 빼요)

➕ 알맞은 길을 그리세요.

7이 9가 되려면
2만큼 커져야 해.

7      $+4$ -3 9

$+5$ -1

4일 빼고 더하기 도 뒤의 두 수를 한 번에 계산해 볼까?

➕ 세 수의 계산을 뒤의 두 수부터 간단히 계산하세요.

4개를 빼고
3개를 더하는 것은

1개를 빼는
것과 같아.

$$11 - 4 + 3$$
$$= 11 - \boxed{1} = \boxed{10}$$

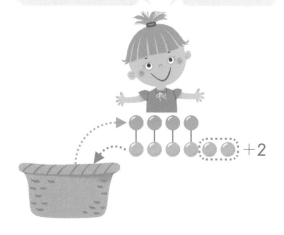

4개를 빼고
6개를 더하는 것은

2개를 더하는
것과 같아.

$$12 - 4 + 6$$
$$= 12 + \boxed{} = \boxed{}$$

➕ 빈칸에 알맞은 수를 넣어 세 수의 계산을 간단히 하세요.

$$16 - 7 + 4 = 16 - \boxed{} = \boxed{}$$

$$11 - 5 + 6 = 11 + \boxed{} = \boxed{}$$

$$13 - 2 + 4 = 13 + \boxed{} = \boxed{}$$

➕ 뒤의 두 수부터 간단히 계산하세요.

$11 - 2 + 5 =$ ☐
$+3$

$14 - 9 + 4 =$ ☐
-5

$17 - 6 + 2 =$ ☐

$13 - 4 + 8 =$ ☐

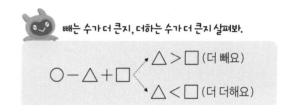

빼는 수가 더 큰지, 더하는 수가 더 큰지 살펴봐.

$\bigcirc - \triangle + \square$
→ $\triangle > \square$ (더 빼요)
→ $\triangle < \square$ (더 더해요)

➕ 빈 곳에 알맞은 수를 쓰세요.

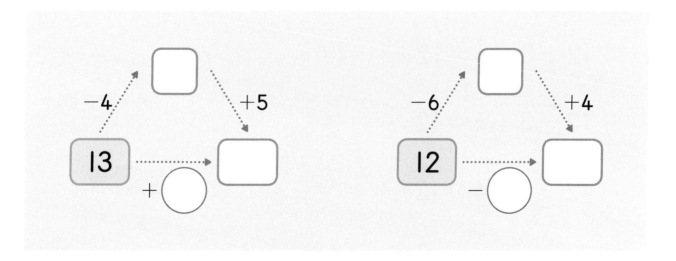

5일 세 수의 계산 세 수 중 뒤의 두 수만 보고 계산 결과를 예상할 수 있어야 해.

➕ 수 사이에 ＋, －를 여러 가지 방법으로 넣었어요. 뒤의 두 수부터 계산하세요.

$$9 ＋ 6 ＋ 2 = 9 + \boxed{} = \boxed{}$$

$$9 ＋ 6 － 2 = 9 + \boxed{} = \boxed{}$$

$$9 － 6 ＋ 2 = 9 - \boxed{} = \boxed{}$$

$$9 － 6 － 2 = 9 - \boxed{} = \boxed{}$$

우리가 큰 수
앞에 있는지

뒤의 두 수만 보고 계산 결과를 예상해 봐!

$\boxed{} － 7 ＋ 4$ ➡ 작아지겠네

$\boxed{} ＋ 7 － 4$ ➡ 커지겠네

$$12 ＋ 3 ＋ 4 = 12 + \boxed{} = \boxed{}$$

$$12 ＋ 3 － 4 = 12 - \boxed{} = \boxed{}$$

$$12 － 3 ＋ 4 = 12 + \boxed{} = \boxed{}$$

$$12 － 3 － 4 = 12 - \boxed{} = \boxed{}$$

작은 수 앞에 있는지
잘 살펴봐!

계산에 맞게 길을 그리세요.

13이 7로 작아졌어.
모두 6을 빼면 되겠네.

13

−5

−4

−2

+6

7

8이 10이 됐어.
모두 2가 커졌네.

8

+5

+4

−5

−3

10

11

+6

−2

−4

+5

14

➕ 두 수를 모아서 세 수의 계산을 간단히 하세요.

$3 + 8 + 4 = \boxed{}$

$\boxed{} + 8$

$12 - 3 - 7 = \boxed{}$

$12 - \boxed{}$

➕ 빈칸에 알맞은 수를 넣어 세 수의 계산을 간단히 하세요.

$13 - 6 + 9 = 13 + \boxed{} = \boxed{}$

$7 + 4 - 8 = 7 - \boxed{} = \boxed{}$

➕ 수 사이에 +, −를 여러 가지 방법으로 넣었어요. 뒤의 두 수부터 계산하세요.

$8 \underbrace{+ 5 + 2} = 8 + \boxed{} = \boxed{}$

$8 \underbrace{+ 5 - 2} = 8 + \boxed{} = \boxed{}$

$8 \underbrace{- 5 + 2} = 8 - \boxed{} = \boxed{}$

$8 \underbrace{- 5 - 2} = 8 - \boxed{} = \boxed{}$

마무리
평가

마무리 평가에서는 1, 2, 3, 4주 차의 유형이 순서대로 나옵니다.

문제가 틀리면 몇 주 차인지 확인하여 반드시 다시 한번 복습합니다.

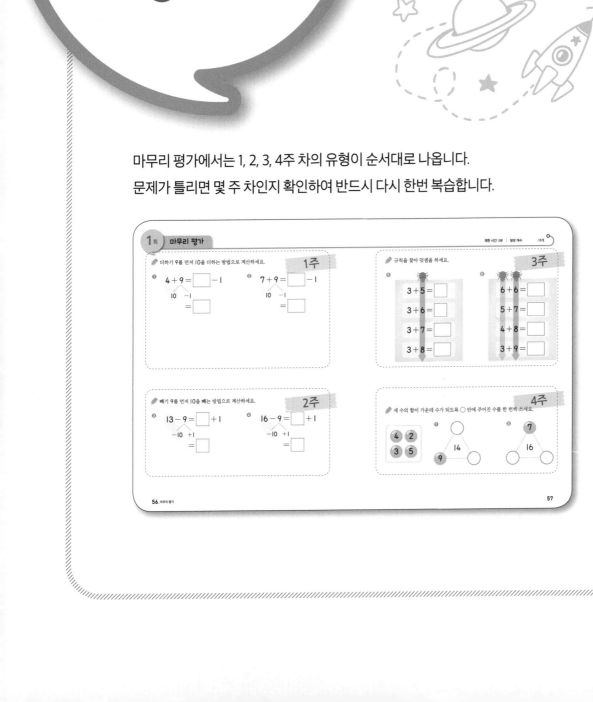

✏️ 더하기 **9**를 먼저 **10**을 더하는 방법으로 계산하세요.

❶ $4 + 9 = \boxed{} - 1$

10 − 1

$= \boxed{}$

❷ $7 + 9 = \boxed{} - 1$

10 − 1

$= \boxed{}$

✏️ 빼기 **9**를 먼저 **10**을 빼는 방법으로 계산하세요.

❸ $13 - 9 = \boxed{} + 1$

−10 +1

$= \boxed{}$

❹ $16 - 9 = \boxed{} + 1$

−10 +1

$= \boxed{}$

✏️ 규칙을 찾아 덧셈을 하세요.

❺
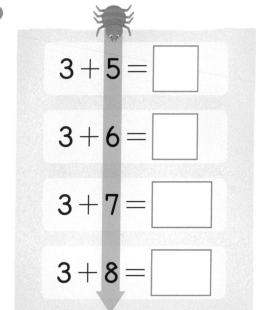

$3 + 5 = \boxed{}$

$3 + 6 = \boxed{}$

$3 + 7 = \boxed{}$

$3 + 8 = \boxed{}$

❻
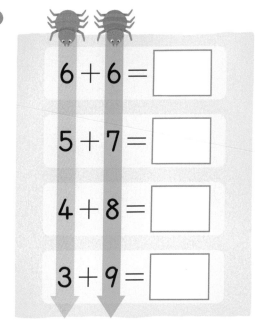

$6 + 6 = \boxed{}$

$5 + 7 = \boxed{}$

$4 + 8 = \boxed{}$

$3 + 9 = \boxed{}$

✏️ 세 수의 합이 가운데 수가 되도록 ◯ 안에 주어진 수를 한 번씩 쓰세요.

4 2
3 5

❼
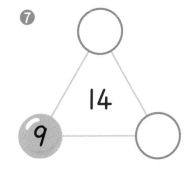

14

9

❽
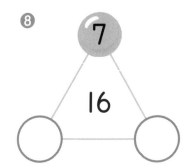

7

16

✏️ 더하기 8을 먼저 10을 더하는 방법으로 계산하세요.

❶

$$5 + 8 = \boxed{} - 2$$

10　　−2

$$= \boxed{}$$

❷

$$9 + 8 = \boxed{} - 2$$

10　　−2

$$= \boxed{}$$

✏️ 빼기 8을 먼저 10을 빼는 방법으로 계산하세요.

❸

$$13 - 8 = \boxed{} + 2$$

−10　　+2

$$= \boxed{}$$

❹

$$17 - 8 = \boxed{} + 2$$

−10　　+2

$$= \boxed{}$$

✏️ 10을 만들어 덧셈을 하세요.

5 $4 + 9 =$ ☐

-1 ↓ $+1$ ↓ ↑

☐ $+$ ☐ $=$ ☐

6 $8 + 6 =$ ☐

$+2$ ↓ -2 ↓ ↑

☐ $+$ ☐ $=$ ☐

✏️ 빈칸에 알맞은 두 수를 찾아 쓰세요. (단, 2가지 방법 중 1가지만 씁니다.)

7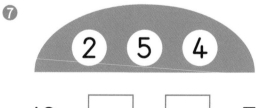

$13 - $ ☐ $- $ ☐ $= 7$

8

$11 - $ ☐ $- $ ☐ $= 3$

✏️ 알맞은 길을 그리세요.

❶

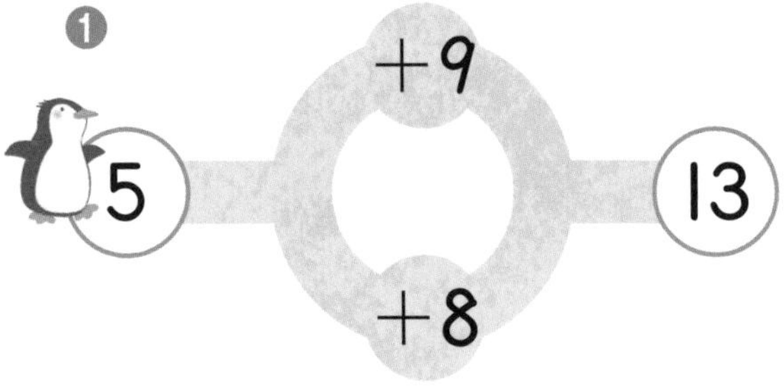

5   +9   13
     +8

❷

7   +9   16
     +8

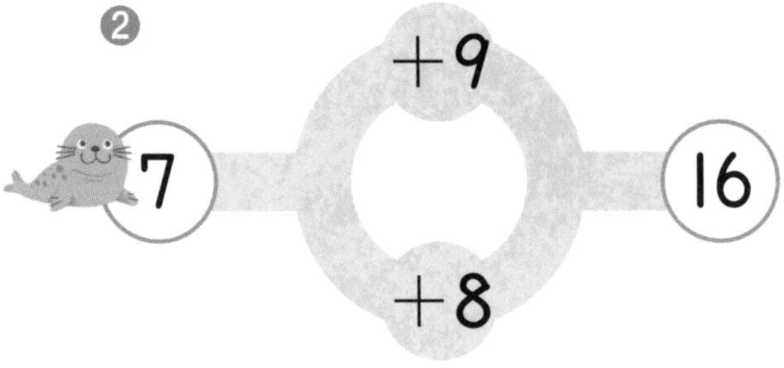

✏️ 잘못 계산한 것을 찾아 ☐ 안에 ✕표 하세요.

❸

$14 - 9 = 5$ ☐

$11 - 9 = 3$ ☐

$16 - 9 = 7$ ☐

❹

$11 - 8 = 3$ ☐

$15 - 8 = 7$ ☐

$14 - 8 = 8$ ☐

규칙을 찾아 빈칸에 알맞은 수를 쓰세요.

⑤ $11 - \boxed{} = 7$

$11 - \boxed{} = 6$

$11 - \boxed{} = 5$

⑥ $14 - \boxed{} = 5$

$13 - \boxed{} = 5$

$12 - \boxed{} = 5$

 빈칸에 알맞은 수를 넣어 세 수의 계산을 간단히 하세요.

⑦ $12 - 5 + 6 = 12 + \boxed{} = \boxed{}$

⑧ $14 - 9 + 4 = 14 - \boxed{} = \boxed{}$

✏️ 5를 이용하여 덧셈을 하세요.

❶

$$7 + 5 = 10 + \boxed{}$$

10

5 2

$$= \boxed{}$$

❷

$$6 + 7 = 10 + \boxed{}$$

5 1 5 2

10

$$= \boxed{}$$

✏️ 같은 모양은 같은 수를 나타내요. 모양 안에 알맞은 수를 쓰세요.

❸ ◯ + ◯ = 10

❹ △ + △ = 6

❺ ☐ + ☐ = 14

❻ ♡ + ♡ = 16

✏️ 10을 만들어 뺄셈을 하세요.

❼
$$12 - 5 = \boxed{}$$

↓ -2 ↓ -2 ↑

$$\boxed{} - \boxed{} = \boxed{}$$

❽
$$15 - 9 = \boxed{}$$

↓ $+1$ ↓ $+1$ ↑

$$\boxed{} - \boxed{} = \boxed{}$$

✏️ 빈칸에 알맞은 수를 넣어 세 수의 계산을 간단히 하세요.

❾
$$5 + 2 - 4 = 5 - \boxed{} = \boxed{}$$

❿
$$6 + 7 - 5 = 6 + \boxed{} = \boxed{}$$

✏️ ☐ 안에 알맞은 수에 색칠하세요.

❶
③ ⑤ ⑦

$5 + \boxed{} = 10$

❷
⑦ ⑥ ⑧

$\boxed{} + 7 = 15$

✏️ 빈칸에 알맞은 수를 쓰세요.

❸ $\boxed{} - 4 = 4$

❹ $\boxed{} - 6 = 6$

❺ $\boxed{} - 7 = 7$

❻ $\boxed{} - 9 = 9$

✏️ 여러 가지 방법으로 빈칸에 10보다 작은 수를 넣어 두 수의 합과 차를 만드세요.
(단, 더하는 순서가 다른 식은 다른 것으로 봅니다.)

❼

합 16

☐ + ☐ = 16

☐ + ☐ = 16

☐ + ☐ = 16

❽

차 4

13 − ☐ = 4

12 − ☐ = 4

11 − ☐ = 4

✏️ 알맞은 길을 그리세요.

❾

12

−4

−6

+2

−3

5

MEMO

실력 평가

초1_3권

시간	2분	문제수	20개
배점		I문제 5점 / 총100점	

날짜: _____ 월 _____ 일

이름: _____

점수: _____ 점

사고가 자라는 수학
씨수엠

① $4 + 9 =$

② $7 + 8 =$

③ $7 + 6 =$

④ $5 + 9 =$

⑤ $6 + 6 =$

⑥ $14 - 9 =$

⑦ $17 - 8 =$

⑧ $16 - 8 =$

⑨ $14 - 7 =$

⑩ $13 - 6 =$

⑪ $6 + 8 =$

⑫ $12 - 9 =$

⑬ $5 + 7 =$

⑭ $15 - 8 =$

⑮ $9 + 9 =$

⑯ $4 + 7 =$

⑰ $18 - 9 =$

⑱ $17 - 8 =$

⑲ $7 + 9 =$

⑳ $11 - 8 =$

유아·초등 수학의 필수 개념
교과연계 수백판 100

유아·초등수학에서 꼭 해야 할 필수 교구 수백판 100

+

수백판　　　　　　　　　워크북(2권)

❶ 편리한 설계로
유아부터 초등까지
누구나 쉽게 이용가능!

❷ 보다 다양한 활동을 위해
읽기판과 천판
추가!

❸ 수칩 구분이 쉬워
정리와 보관까지
한번에!

❹ 초등수학교과를 연계한 체계적인 워크북과
함께하면 스스로 실력이 쑥쑥!

**100%
교과 연계
워크북**

교과연계 단위 소개와 배워
야 할 학습목표를 한눈에 볼
수 있습니다.

씨투엠이 만들면 기준이 됩니다!

초등 연산의 기준

칸토의 연산

정답

편리한 계산 전략

사고가 자라는 수학
씨투엠

초 · 3권

초등 연산의 기준

칸토의 연산

정답

편리한 계산 전략

1주: 받아올림 있는 (몇) + (몇) 전략

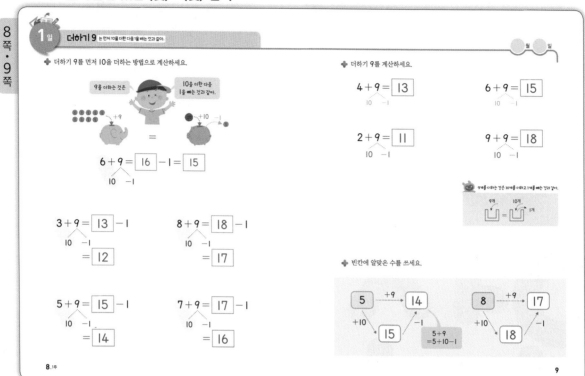

1일 더하기 9 는 먼저 10을 더한 다음 1을 빼는 것과 같아.

➕ 더하기 9를 먼저 10을 더하는 방법으로 계산하세요.

9를 더하는 것은 / 10을 더한 다음 1을 빼는 것과 같아.

=

$6 + 9 = 16 - 1 = 15$

$3 + 9 = 13 - 1$
$= 12$

$8 + 9 = 18 - 1$
$= 17$

$5 + 9 = 15 - 1$
$= 14$

$7 + 9 = 17 - 1$
$= 16$

➕ 더하기 9를 계산하세요.

$4 + 9 = 13$

$6 + 9 = 15$

$2 + 9 = 11$

$9 + 9 = 18$

9를 더하는 것은 10개를 더하고 1개를 빼는 것과 같아.

➕ 빈칸에 알맞은 수를 쓰세요.

$5 \xrightarrow{+9} 14$

$+10 \quad 15 \quad -1$

$5 + 9 = 5 + 10 - 1$

$8 \xrightarrow{+9} 17$

$+10 \quad 18 \quad -1$

8.1주

9

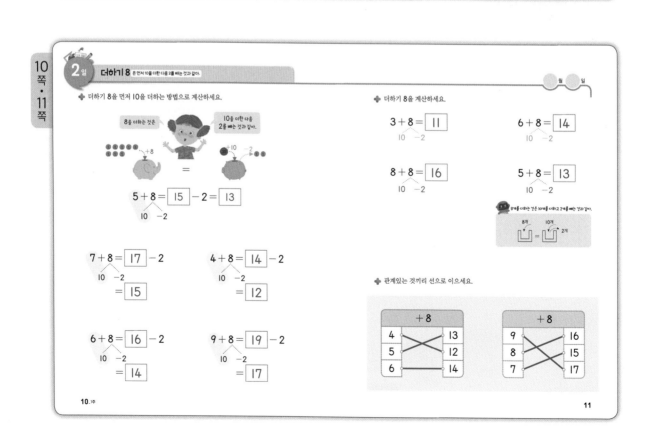

2일 더하기 8 은 먼저 10을 더한 다음 2를 빼는 것과 같아.

➕ 더하기 8을 먼저 10을 더하는 방법으로 계산하세요.

8을 더하는 것은 / 10을 더한 다음 2를 빼는 것과 같아.

=

$5 + 8 = 15 - 2 = 13$

$7 + 8 = 17 - 2$
$= 15$

$4 + 8 = 14 - 2$
$= 12$

$6 + 8 = 16 - 2$
$= 14$

$9 + 8 = 19 - 2$
$= 17$

➕ 더하기 8을 계산하세요.

$3 + 8 = 11$

$6 + 8 = 14$

$8 + 8 = 16$

$5 + 8 = 13$

8을 더하는 것은 10개를 더하고 2개를 빼는 것과 같아.

➕ 관계있는 것끼리 선으로 이으세요.

+8	
4	13
5	12
6	14

+8	
9	16
8	15
7	17

10.1주

11

2

3일 **더하기 8, 9 연습** 더하기 8, 9도 이제는 쉽게 할 수 있어.

월 일

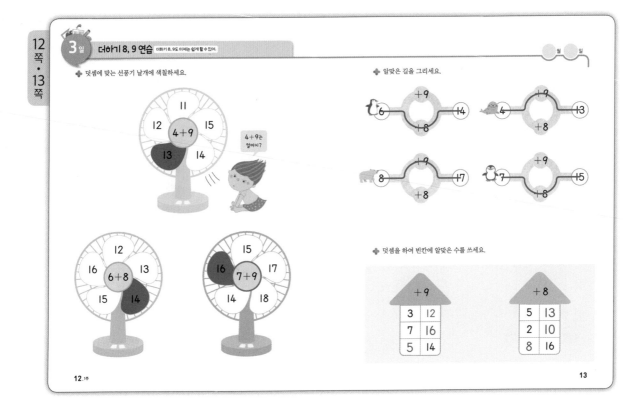

➕ 덧셈에 맞는 선풍기 날개에 색칠하세요.

11
12   15
4+9
13   14

4+9는
얼마지?

12
16   13
6+8
15   14

15
16   17
7+9
14   18

➕ 알맞은 길을 그리세요.

6 —+9— 14
    —+8—

4 —+9— 13
    —+8—

8 —+9— 7
    —+8—

7 —+9— 15
    —+8—

➕ 덧셈을 하여 빈칸에 알맞은 수를 쓰세요.

+9
3	12
7	16
5	14

+8
5	13
2	10
8	16

4일 **5를 이용한 덧셈** 온 5 가르기를 이용한 덧셈 방법이야.

월 일

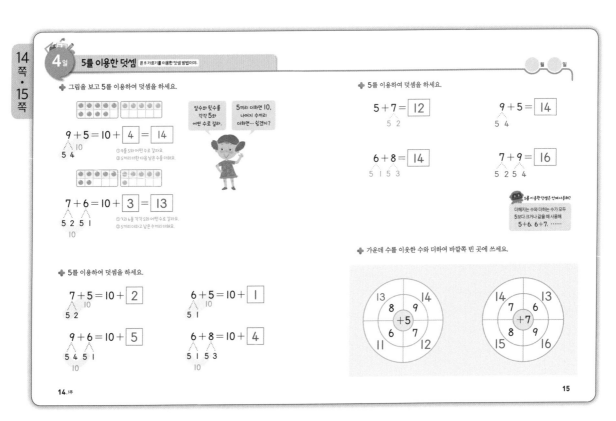

➕ 그림을 보고 5를 이용하여 덧셈을 하세요.

$9+5=10+\boxed{4}=\boxed{14}$
5 4

앞수와 뒷수를
각각 5와
어떤 수로 갈라.

5끼리 더하면 10,
나머지 수끼리
더하면… 쉽겠지?

① 9를 5와 어떤 수로 갈라요.
② 5끼리 더한 다음 남은 수를 더해요.

$7+6=10+\boxed{3}=\boxed{13}$
5 2 5 1
10

① 7과 6을 각각 5와 어떤 수로 갈라요.
② 5끼리 더하고 남은 수끼리 더해요.

➕ 5를 이용하여 덧셈을 하세요.

$7+5=10+\boxed{2}$
5 2   10

$6+5=10+\boxed{1}$
5 1

$9+6=10+\boxed{5}$
5 4 5 1   10

$6+8=10+\boxed{4}$
5 1 5 3   10

➕ 5를 이용하여 덧셈을 하세요.

$5+7=\boxed{12}$
5 2

$9+5=\boxed{14}$
5 4

$6+8=\boxed{14}$
5 1 5 3

$7+9=\boxed{16}$
5 2 5 4

5를 이용한 덧셈은 언제 사용해?
더해지는 수와 더하는 수가 모두
5보다 크거나 같을 때 사용해
5+6, 6+7 ······

➕ 가운데 수를 이웃한 수와 더하여 바깥쪽 빈 곳에 쓰세요.

13   14
  8 8
+5
  6 6
11   12

14   13
  7 6
+7
  8 9
15   16

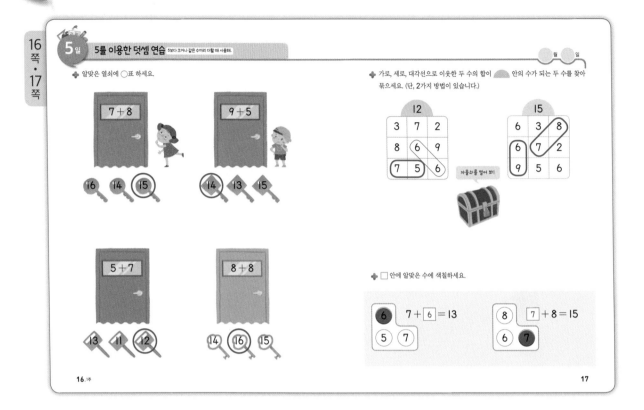

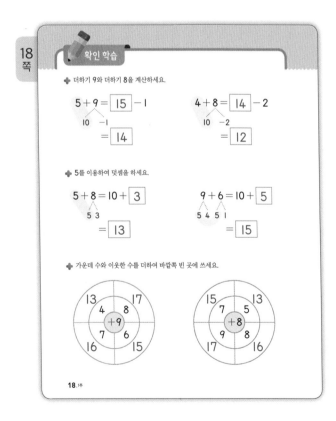

4

2주: 받아내림 있는 (십몇) – (몇) 전략

20쪽·21쪽

1일 **빼기 9** 는 먼저 10을 뺀 다음 1을 더하는 것과 같아.

월 일

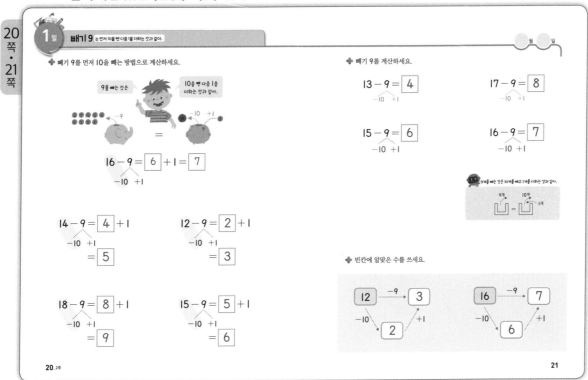

➕ 빼기 9를 먼저 10을 빼는 방법으로 계산하세요.

9를 빼는 것은 / 10을 뺀 다음 1을 더하는 것과 같아.

$16 - 9 = 6 + 1 = 7$

$14 - 9 = 4 + 1$
$= 5$

$12 - 9 = 2 + 1$
$= 3$

$18 - 9 = 8 + 1$
$= 9$

$15 - 9 = 5 + 1$
$= 6$

➕ 빼기 9를 계산하세요.

$13 - 9 = 4$

$17 - 9 = 8$

$15 - 9 = 6$

$16 - 9 = 7$

9개를 빼는 것은 10개를 빼고 1개를 더하는 것과 같아.
9개 = 10개 1개

➕ 빈칸에 알맞은 수를 쓰세요.

$12 \xrightarrow{-9} 3$, -10 , 2 , $+1$

$16 \xrightarrow{-9} 7$, -10 , 6 , $+1$

20.2주   21

22쪽·23쪽

2일 **빼기 8** 은 먼저 10을 뺀 다음 2를 더하는 것과 같아.

월 일

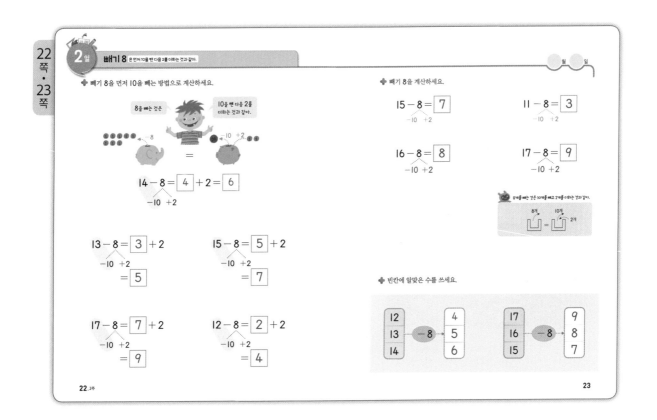

➕ 빼기 8을 먼저 10을 빼는 방법으로 계산하세요.

8을 빼는 것은 / 10을 뺀 다음 2를 더하는 것과 같아.

$14 - 8 = 4 + 2 = 6$

$13 - 8 = 3 + 2$
$= 5$

$15 - 8 = 5 + 2$
$= 7$

$17 - 8 = 7 + 2$
$= 9$

$12 - 8 = 2 + 2$
$= 4$

➕ 빼기 8을 계산하세요.

$15 - 8 = 7$

$11 - 8 = 3$

$16 - 8 = 8$

$17 - 8 = 9$

8개를 빼는 것은 10개를 빼고 2개를 더하는 것과 같아.
8개 = 10개 2개

➕ 빈칸에 알맞은 수를 쓰세요.

12		4
13	−8	5
14		6

17		9
16	−8	8
15		7

22.2주   23

5

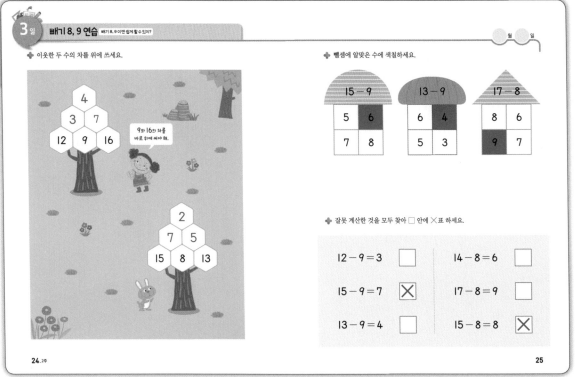

3일 **빼기 8, 9 연습** 빼기 8, 9 이젠 쉽게 할 수 있지?

월 일

✚ 이웃한 두 수의 차를 위에 쓰세요.

9와 16의 차를
바로 위에 써야 해.

✚ 뺄셈에 알맞은 수에 색칠하세요.

15 - 9 | 13 - 9 | 17 - 8

| 5 | **6** | | 6 | **4** | | 8 | 6 |
| 7 | 8 | | 5 | 3 | | **9** | 7 |

✚ 잘못 계산한 것을 모두 찾아 □ 안에 ×표 하세요.

$12 - 9 = 3$ ☐	$14 - 8 = 6$ ☐
$15 - 9 = 7$ ☒	$17 - 8 = 9$ ☐
$13 - 9 = 4$ ☐	$15 - 8 = 8$ ☒

24. 2주

25

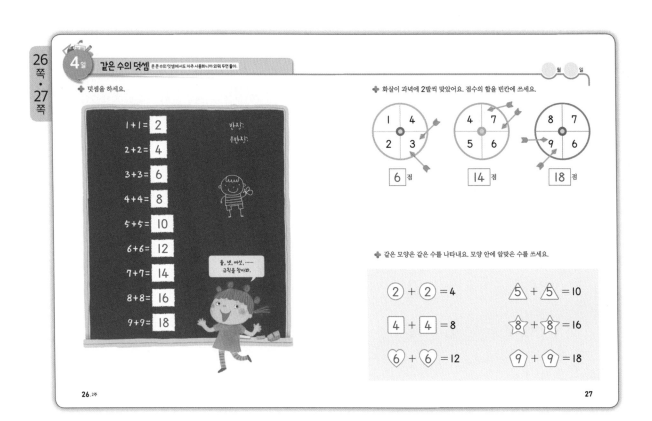

4일 **같은 수의 덧셈** 큰 큰 덧셈에서도 자주 사용하니까 외워 두면 좋아.

월 일

✚ 덧셈을 하세요.

| $1 + 1 = $ **2** |
| $2 + 2 = $ **4** |
| $3 + 3 = $ **6** |
| $4 + 4 = $ **8** |
| $5 + 5 = $ **10** |
| $6 + 6 = $ **12** |
| $7 + 7 = $ **14** |
| $8 + 8 = $ **16** |
| $9 + 9 = $ **18** |

둘, 넷, 여섯, ……
규칙을 찾아봐.

✚ 화살이 과녁에 2발씩 맞았어요. 점수의 합을 빈칸에 쓰세요.

6 점   **14** 점   **18** 점

✚ 같은 모양은 같은 수를 나타내요. 모양 안에 알맞은 수를 쓰세요.

②+② = 4   ⑤+⑤ = 10

4+4 = 8   ⑧+⑧ = 16

⑥+⑥ = 12   ⑨+⑨ = 18

26. 2주

27

5일 반이 되는 뺄셈 큰 큰 수의 뺄셈에서 자주 사용해. 외워 둘 거지?   월   일

➕ 뺄셈을 하세요.

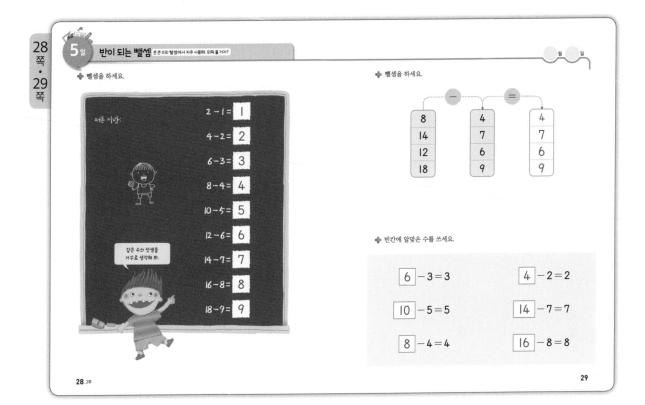

어떤 사람:

$2 - 1 = \boxed{1}$

$4 - 2 = \boxed{2}$

$6 - 3 = \boxed{3}$

$8 - 4 = \boxed{4}$

$10 - 5 = \boxed{5}$

$12 - 6 = \boxed{6}$

같은 수의 덧셈을 거꾸로 생각해 봐.

$14 - 7 = \boxed{7}$

$16 - 8 = \boxed{8}$

$18 - 9 = \boxed{9}$

➕ 뺄셈을 하세요.

−		=
8	4	4
14	7	7
12	6	6
18	9	9

➕ 빈칸에 알맞은 수를 쓰세요.

$\boxed{6} - 3 = 3$ $\boxed{4} - 2 = 2$

$\boxed{10} - 5 = 5$ $\boxed{14} - 7 = 7$

$\boxed{8} - 4 = 4$ $\boxed{16} - 8 = 8$

28 .2주

29

✏️ 확인 학습

➕ 빼기 9와 빼기 8을 계산하세요.

$15 - 9 = \boxed{5} + 1$ $12 - 8 = \boxed{2} + 2$

$\begin{array}{c} -10 \quad +1 \end{array}$ $\begin{array}{c} -10 \quad +2 \end{array}$

$\quad = \boxed{6}$ $\quad = \boxed{4}$

➕ 계산을 하세요.

$4 + 4 = \boxed{8}$ $6 - 3 = \boxed{3}$

$8 + 8 = \boxed{16}$ $18 - 9 = \boxed{9}$

➕ 빈칸에 알맞은 수를 쓰세요.

$13 - \boxed{8} = 5$ $16 - \boxed{9} = 7$

$\boxed{7} + 7 = 14$ $\boxed{12} - 6 = 6$

30 .2주

2주

3주: 감각을 이용한 덧셈, 뺄셈

1일 점점 커지고 작아지는 덧셈 규칙을 찾아 덧셈을 쉽게 해 봐.

월 일

✚ 규칙을 찾아 덧셈을 하세요.

$4+5=9$
$4+6=10$
$4+7=11$
$4+8=12$

빨간 거미, 파란 거미, 어떤 규칙이 있을까?

$3+5=8$
$4+5=9$
$5+5=10$
$6+5=11$

$9+4=13$
$9+3=12$
$9+2=11$
$9+1=10$

$7+7=14$
$6+7=13$
$5+7=12$
$4+7=11$

더하는 수가 1씩 커지면 합도 1씩 커져.
4 → 5 → 6

✚ 규칙을 찾아 덧셈을 하세요.

$6+5=11$
$7+4=11$
$8+3=11$
$9+2=11$

$8+6=14$
$7+7=14$
$6+8=14$
$5+9=14$

더해지는 수가 1씩 작아지고 더하는 수가 1씩 커지면 합은 변하지 않아.

✚ 규칙을 찾아 빈칸에 알맞은 수를 쓰세요.

$9+\boxed{3}=12$
$9+\boxed{4}=13$
$9+\boxed{5}=14$

$6+\boxed{9}=15$
$7+\boxed{8}=15$
$8+\boxed{7}=15$

2일 10 만들어 더하기 는 하나의 수를 10으로 만들어 더하는 방법이야.

월 일

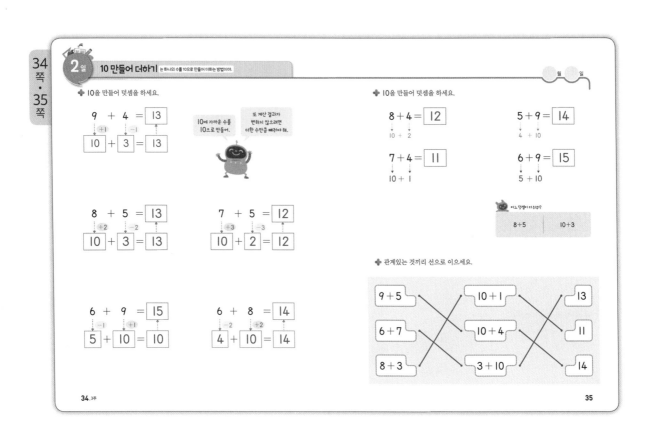

✚ 10을 만들어 덧셈을 하세요.

$9 + 4 = \boxed{13}$
$10 + 3 = \boxed{13}$

10에 가까운 수를 10으로 만들어.
또 계산 결과가 변하지 않으려면 더한 수만큼 빼줘야 해.

$8 + 5 = \boxed{13}$
$10 + 3 = \boxed{13}$

$7 + 5 = \boxed{12}$
$10 + 2 = \boxed{12}$

$6 + 9 = \boxed{15}$
$5 + 10 = \boxed{10}$

$6 + 8 = \boxed{14}$
$4 + 10 = \boxed{14}$

✚ 10을 만들어 덧셈을 하세요.

$8+4=\boxed{12}$
$10 + 2$

$7+4=\boxed{11}$
$10 + 1$

$5+9=\boxed{14}$
$4 + 10$

$6+9=\boxed{15}$
$5 + 10$

어느 덧셈이 더 쉬워?
$8+5$ | $10+3$

✚ 관계있는 것끼리 선으로 이으세요.

$9+5$
$6+7$
$8+3$

$10+1$
$10+4$
$3+10$

13
11
14

3일 **점점 커지고 작아지는 뺄셈** 규칙을 찾아 뺄셈을 쉽게 해 봐.

월   일

✚ 규칙을 찾아 뺄셈을 하세요.

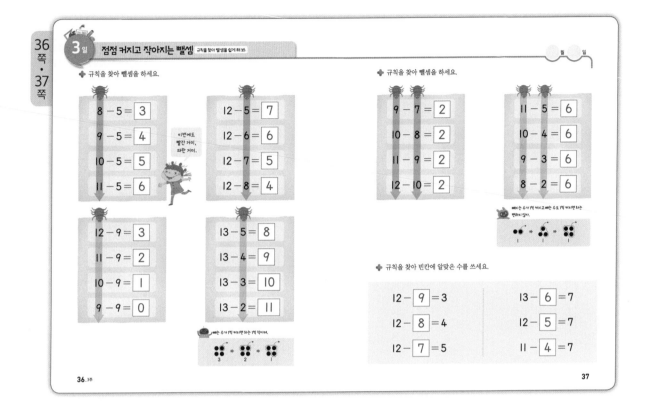

✚ 규칙을 찾아 뺄셈을 하세요.

$8 - 5 = 3$
$9 - 5 = 4$
$10 - 5 = 5$
$11 - 5 = 6$

이번에도
빨간 거미,
파란 거미.

$12 - 5 = 7$
$12 - 6 = 6$
$12 - 7 = 5$
$12 - 8 = 4$

$9 - 7 = 2$
$10 - 8 = 2$
$11 - 9 = 2$
$12 - 10 = 2$

$11 - 5 = 6$
$10 - 4 = 6$
$9 - 3 = 6$
$8 - 2 = 6$

$12 - 9 = 3$
$11 - 9 = 2$
$10 - 9 = 1$
$9 - 9 = 0$

$13 - 5 = 8$
$13 - 4 = 9$
$13 - 3 = 10$
$13 - 2 = 11$

✚ 규칙을 찾아 빈칸에 알맞은 수를 쓰세요.

$12 - 9 = 3$

$13 - 6 = 7$

$12 - 8 = 4$

$12 - 5 = 7$

$12 - 7 = 5$

$11 - 4 = 7$

36 _3주   37

4일 **10 만들어 빼기** 는 하나의 수를 10으로 만들어 빼는 방법이야.

월   일

✚ 10을 만들어 뺄셈을 하세요.

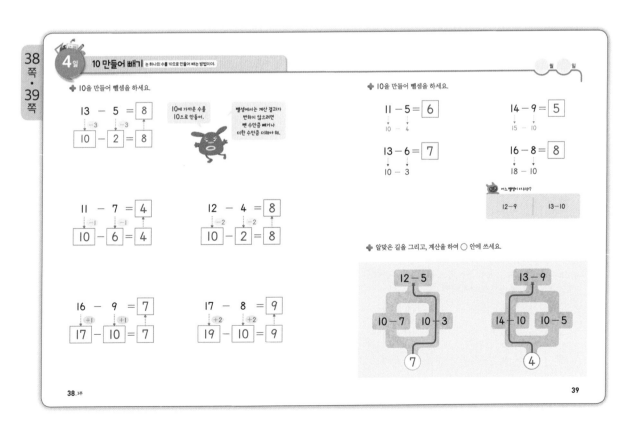

✚ 10을 만들어 뺄셈을 하세요.

$13 - 5 = 8$
$10 - 2 = 8$

10에 가까운 수를
10으로 만들어.

뺄셈에서는 계산 결과가
변하지 않으려면
뺀 수만큼 빼거나
더한 수만큼 더해야 해.

$11 - 5 = 6$
$10 - 4$

$14 - 9 = 5$
$15 - 10$

$13 - 6 = 7$
$10 - 3$

$16 - 8 = 8$
$18 - 10$

어느 뺄셈이 더 쉬워?

| 12 - 9 | 13 - 10 |

$11 - 7 = 4$
$10 - 6 = 4$

$12 - 4 = 8$
$10 - 2 = 8$

$16 - 9 = 7$
$17 - 10 = 7$

$17 - 8 = 9$
$19 - 10 = 9$

✚ 알맞은 길을 그리고, 계산을 하여 ○ 안에 쓰세요.

12 - 5
10 - 7   10 - 3
⑦

13 - 9
14 - 10   10 - 5
④

38 _3주   39

40 쪽 · 41 쪽

5일 합·차 만들기 지금까지 익힌 수 감각을 이용하여 □ 안의 수를 모두 찾아봐.

월 일

◆ 빈칸에 10보다 작은 두 수를 넣어 주어진 수의 합을 만드세요. (단, 더하는 순서가 다른 식은 다른 것으로 봅니다.)

과자 15개와 토마토 14개를 언니랑 각각 나누어 먹어야 해.

합 15

$9 + 6 = 15$

$8 + 7 = 15$

$7 + 8 = 15$

$6 + 9 = 15$

합 14

$9 + 5 = 14$

$8 + 6 = 14$

$7 + 7 = 14$

$6 + 8 = 14$

$5 + 9 = 14$

◆ 빈칸에 20보다 작은 두 수를 넣어 두 수의 차가 9가 되게 만드세요.

나와 동생의 나이 차는 항상 9살이야.

차 9

$19 - 10 = 9$

$18 - 9 = 9$

$17 - 8 = 9$

$16 - 7 = 9$

$15 - 6 = 9$

$14 - 5 = 9$

$13 - 4 = 9$

$12 - 3 = 9$

$11 - 2 = 9$

$10 - 1 = 9$

숫자가 같으려면 빼는 수와 빼는 수가 똑같이 변해야 해.

(1씩 크게) $7 - 5 = 2$

$6 - 4 = 2$

(1씩 작게) $5 - 3 = 2$

40·3주

41

42 쪽

확인 학습

◆ 10을 만들어 덧셈을 하세요.

$8 + 5 = 13$
$10 + 3 = 13$

$6 + 9 = 15$
$5 + 10 = 15$

◆ 10을 만들어 뺄셈을 하세요.

$12 - 5 = 7$
$10 - 3 = 7$

$13 - 9 = 4$
$14 - 10 = 4$

◆ 빈칸에 10보다 작은 수를 넣어 서로 다른 덧셈식과 뺄셈식을 3개씩 만드세요. (단, 더하는 순서가 다른 식은 다른 것으로 봅니다.)

$9 + 7 = 16$

$8 + 8 = 16$

$7 + 9 = 16$

$15 - 8 = 7$

$14 - 7 = 7$

$13 - 6 = 7$

42·3주

3주

10

4주: 세 수의 계산

1일 **모아서 더하기** 는 세 수의 합을 한 자리 수인 두 수의 합으로 바꾸어 계산하는 방법이야.

월 일

✚ 두 수를 모아서 세 수의 덧셈을 하세요.

$4 + 8 + 5 = \boxed{17}$
$\boxed{9} + 8$

합이 한 자리 수가 되는
두 수를 먼저 더해 봐.

$5 + 2 + 9 = \boxed{16}$
$\boxed{7} + 9$

$8 + 4 + 4 = \boxed{16}$
$8 + \boxed{8}$

두 수로 모아서 더하는 이유가 뭘까?
덧셈구구가 더 쉽잖아
$5 + 8 + 4 = 9 + 8$

✚ 관계있는 것끼리 선으로 이으세요.

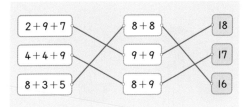

✚ 세 수의 합을 한 자리 수인 두 수의 합으로 바꾸어 나타내세요.

$7 + 3 + 5 = \boxed{7} + \boxed{8}$

$6 + 9 + 2 = \boxed{8} + \boxed{9}$

$5 + 4 + 9 = \boxed{9} + \boxed{9}$

$7 + 5 + 4 = \boxed{7} + \boxed{9}$

✚ 세 수의 합이 가운데 수가 되도록 ◯ 안에 주어진 수를 한 번씩 쓰세요.

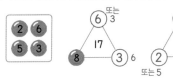

2일 **모아서 빼기** 는 빼는 두 수를 한 번에 모아서 빼는 방법이야.

월 일

✚ 모아서 뺄셈을 하세요.

3개를 빼고 4개를
빼는 것은 결국
7개를 빼는 것과 같아.

$12 - 3 - 4 = \boxed{5}$
$12 - \boxed{7}$

$16 - 2 - 2 = \boxed{12}$
$16 - \boxed{4}$

$15 - 3 - 6 = \boxed{6}$
$15 - \boxed{9}$

✚ 뒤의 두 수부터 간단히 계산하세요.

$16 - 3 - 4 = \boxed{9}$
-7

$19 - 2 - 7 = \boxed{10}$
-9

$12 - 1 - 5 = \boxed{6}$
-6

$11 - 5 - 3 = \boxed{3}$
-8

✚ 빈칸에 알맞은 수를 쓰세요.

$11 - 2 - 4 = 11 - \boxed{6}$

$17 - 4 - 4 = 17 - \boxed{8}$

$13 - 7 - 2 = 13 - \boxed{9}$

$14 - 3 - 3 = 14 - \boxed{6}$

✚ 빈칸에 알맞은 두 수를 찾아 쓰세요. (단, 2가지 방법 중 1가지만 씁니다.)

① ② ⑦
$14 - \boxed{1} - \boxed{7} = 6$
또는 7 1

⑤ ② ④
$11 - \boxed{2} - \boxed{4} = 5$
또는 4 2

⑥ ③ ③
$12 - \boxed{3} - \boxed{3} = 6$

③ ⑥ ④
$15 - \boxed{3} - \boxed{4} = 8$
또는 4 3

3일 **더하고 빼기** 도 뒤의 두 수를 한 번에 계산하면 편리해.

월 일

✦ 세 수의 계산을 뒤의 두 수부터 간단히 계산하세요.

5개를 더하고
4개를 빼는 것은

+1

5개를 더하고
8개를 빼는 것은

-3

$8+5-4$
$=8+\boxed{1}=\boxed{9}$

$9+5-8$
$=9-\boxed{3}=\boxed{6}$

✦ 빈칸에 알맞은 수를 넣어 세 수의 계산을 간단히 하세요.

$4+7-5=4+\boxed{2}=\boxed{6}$

$7+8-9=7-\boxed{1}=\boxed{6}$

$5+8-6=5+\boxed{2}=\boxed{7}$

✦ 뒤의 두 수부터 간단히 계산하세요.

$8+6-4=\boxed{10}$
    $+2$

$11+2-7=\boxed{6}$
    -5

$5+7-6=\boxed{6}$
    $+1$

$9+3-5=\boxed{7}$
    -2

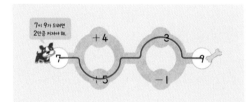

더하는 수가 더 큰지, 빼는 수가 더 큰지 살펴봐.

$\bigcirc + \triangle - \square$ $\triangle > \square$ (더해요)
          $\triangle < \square$ (더 빼요)

✦ 알맞은 길을 그리세요.

7이 9가 되려면
2만큼 커져야 해.

7   +4   3   9
    +5   -1

48 .4주

49

4일 **빼고 더하기** 도 뒤의 두 수를 한 번에 계산해 볼까?

월 일

✦ 세 수의 계산을 뒤의 두 수부터 간단히 계산하세요.

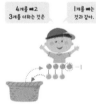

4개를 빼고
3개를 더하는 것은

1개를 빼는
것과 같아.

-1

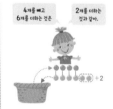

4개를 빼고
6개를 더하는 것은

2개를 더하는
것과 같아.

+2

$11-4+3$
$=11-\boxed{1}=\boxed{10}$

$12-4+6$
$=12+\boxed{2}=\boxed{14}$

✦ 빈칸에 알맞은 수를 넣어 세 수의 계산을 간단히 하세요.

$16-7+4=16-\boxed{3}=\boxed{13}$

$11-5+6=11+\boxed{1}=\boxed{12}$

$13-2+4=13+\boxed{2}=\boxed{15}$

✦ 뒤의 두 수부터 간단히 계산하세요.

$11-2+5=\boxed{14}$
    $+3$

$14-9+4=\boxed{9}$
    -5

$17-6+2=\boxed{13}$
    -4

$13-4+8=\boxed{17}$
    $+4$

빼는 수가 더 큰지, 더하는 수가 더 큰지 살펴봐.

$\bigcirc - \triangle + \square$ $\triangle > \square$ (더 빼요)
          $\triangle < \square$ (더 더해요)

✦ 빈 곳에 알맞은 수를 쓰세요.

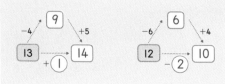

-4   9   +5
13   14
   +1

-6   6   +4
12   10
   -2

50 .4주

51

5일 세 수의 계산

세 수 중 뒤의 두 수만 보고 계산 결과를 예상할 수 있어야 해요.

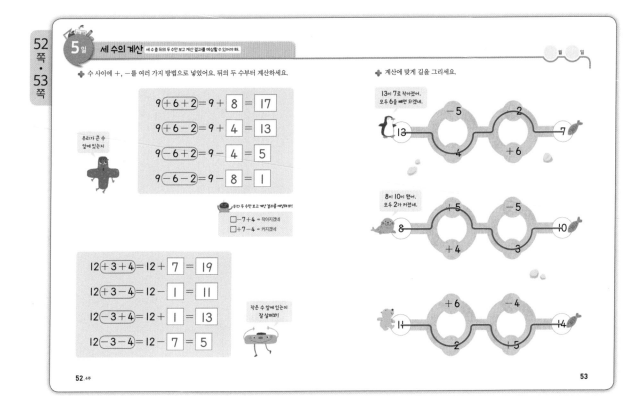

➕ 수 사이에 +, −를 여러 가지 방법으로 넣었어요. 뒤의 두 수부터 계산하세요.

우리가 큰 수 앞에 있는지

$$9\boxed{+6+2}=9+\boxed{8}=\boxed{17}$$
$$9\boxed{+6-2}=9+\boxed{4}=\boxed{13}$$
$$9\boxed{-6+2}=9-\boxed{4}=\boxed{5}$$
$$9\boxed{-6-2}=9-\boxed{8}=\boxed{1}$$

뒤의 두 수만 보고 계산 결과를 예상해 봐!
□−7+4 → 작아지겠네
□+7−4 → 커지겠네

$$12\boxed{+3+4}=12+\boxed{7}=\boxed{19}$$
$$12\boxed{+3-4}=12-\boxed{1}=\boxed{11}$$
$$12\boxed{-3+4}=12+\boxed{1}=\boxed{13}$$
$$12\boxed{-3-4}=12-\boxed{7}=\boxed{5}$$

작은 수 앞에 있는지 잘 살펴봐!

➕ 계산에 맞게 길을 그리세요.

13이 7로 작아졌어. 모두 6을 빼면 되겠네.

8이 10이 됐어. 모두 2가 커졌네.

52.4주

53

✏️ 확인 학습

➕ 두 수를 모아서 세 수의 계산을 간단히 하세요.

$$3+8+4=\boxed{15}$$
$$\boxed{7}+8$$

$$12-3-7=\boxed{2}$$
$$12-\boxed{10}$$

➕ 빈칸에 알맞은 수를 넣어 세 수의 계산을 간단히 하세요.

$$13-6+9=13+\boxed{3}=\boxed{16}$$
$$7+4-8=7-\boxed{4}=\boxed{3}$$

➕ 수 사이에 +, −를 여러 가지 방법으로 넣었어요. 뒤의 두 수부터 계산하세요.

$$8\boxed{+5+2}=8+\boxed{7}=\boxed{15}$$
$$8\boxed{+5-2}=8+\boxed{3}=\boxed{11}$$
$$8\boxed{-5+2}=8-\boxed{3}=\boxed{5}$$
$$8\boxed{-5-2}=8-\boxed{7}=\boxed{1}$$

54.4주

4주

마무리 평가

본문 58~59쪽

56쪽 · 57쪽

1회 마무리 평가

제한 시간: 5분 | 맞은 개수: / 8개

더하기 9를 먼저 10을 더하는 방법으로 계산하세요.

① $4 + 9 = \boxed{14} - 1$
　　　　10　−1
　　　　$= \boxed{13}$

② $7 + 9 = \boxed{17} - 1$
　　　　10　−1
　　　　$= \boxed{16}$

빼기 9를 먼저 10을 빼는 방법으로 계산하세요.

③ $13 - 9 = \boxed{3} + 1$
　　　　−10　+1
　　　　$= \boxed{4}$

④ $16 - 9 = \boxed{6} + 1$
　　　　−10　+1
　　　　$= \boxed{7}$

규칙을 찾아 덧셈을 하세요.

⑤
$3 + 5 = \boxed{8}$
$3 + 6 = \boxed{9}$
$3 + 7 = \boxed{10}$
$3 + 8 = \boxed{11}$

⑥
$6 + 6 = \boxed{12}$
$5 + 7 = \boxed{12}$
$4 + 8 = \boxed{12}$
$3 + 9 = \boxed{12}$

세 수의 합이 가운데 수가 되도록 ○ 안에 주어진 수를 한 번씩 쓰세요.

4 2
3 5

⑦ 2 또는 3
14
9 ─ 3 ─ 2

⑧ 7
16
5 ─ 4
또는 4　5

56_마무리 평가

57

58쪽 · 59쪽

2회 마무리 평가

제한 시간: 5분 | 맞은 개수: / 8개

더하기 8을 먼저 10을 더하는 방법으로 계산하세요.

① $5 + 8 = \boxed{15} - 2$
　　　　10　−2
　　　　$= \boxed{13}$

② $9 + 8 = \boxed{19} - 2$
　　　　10　−2
　　　　$= \boxed{17}$

빼기 8을 먼저 10을 빼는 방법으로 계산하세요.

③ $13 - 8 = \boxed{3} + 2$
　　　　−10　+2
　　　　$= \boxed{5}$

④ $17 - 8 = \boxed{7} + 2$
　　　　−10　+2
　　　　$= \boxed{9}$

10을 만들어 덧셈을 하세요.

⑤ $4 + 9 = \boxed{13}$
　　−1　+1
　$\boxed{3} + \boxed{10} = \boxed{13}$

⑥ $8 + 6 = \boxed{14}$
　　+2　−2
　$\boxed{10} + \boxed{4} = \boxed{14}$

빈칸에 알맞은 두 수를 찾아 쓰세요. (단, 2가지 방법 중 1가지만 씁니다.)

⑦ 2 5 4
$13 - \boxed{2} - \boxed{4} = 7$
또는　4　2

⑧ 6 3 5
$11 - \boxed{3} - \boxed{5} = 3$
또는　5　3

58_마무리 평가

59

3회 마무리 평가

제한 시간: 5분 | 맞은 개수: /8개

✏️ 알맞은 길을 그리세요.

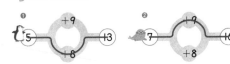

❶ 5 +9 13
  +8

❷ 7 +9 16
  +8

✏️ 규칙을 찾아 빈칸에 알맞은 수를 쓰세요.

❺ 11 − 4 = 7

11 − 5 = 6

11 − 6 = 5

❻ 14 − 9 = 5

13 − 8 = 5

12 − 7 = 5

✏️ 잘못 계산한 것을 찾아 □ 안에 ✕표 하세요.

❸ 14 − 9 = 5 □
11 − 9 = 3 ✕
16 − 9 = 7 □

❹ 11 − 8 = 3 □
15 − 8 = 7 □
14 − 8 = 8 ✕

✏️ 빈칸에 알맞은 수를 넣어 세 수의 계산을 간단히 하세요.

❼ 12 − 5 + 6 = 12 + 1 = 13

❽ 14 − 9 + 4 = 14 − 5 = 9

4회 마무리 평가

제한 시간: 5분 | 맞은 개수: /10개

✏️ 5를 이용하여 덧셈을 하세요.

❶ 7 + 5 = 10 + 2
  5 2 10
  = 12

❷ 6 + 7 = 10 + 3
  5 1 5 2
  10 = 13

✏️ 10을 만들어 뺄셈을 하세요.

❼ 12 − 5 = 7
   −2 −2
   10 − 3 = 7

❽ 15 − 9 = 6
   +1 +1
   16 − 10 = 6

✏️ 같은 모양은 같은 수를 나타내요. 모양 안에 알맞은 수를 쓰세요.

❸ ⑤ + ⑤ = 10

❹ △3 + △3 = 6

❺ 7 + 7 = 14

❻ ♡8 + ♡8 = 16

✏️ 빈칸에 알맞은 수를 넣어 세 수의 계산을 간단히 하세요.

❾ 5 + 2 − 4 = 5 − 2 = 3

❿ 6 + 7 − 5 = 6 + 2 = 8

정답

5회 마무리 평가

제한 시간: 5분 | 맞은 개수: /9개

✏️ □안에 알맞은 수에 색칠하세요.

① ③ $5+5=10$ ⑤ ⑦ ⑤색칠

② ⑦ $8+7=15$ ⑥ ⑧ ⑧색칠

✏️ 여러 가지 방법으로 빈칸에 10보다 작은 수를 넣어 두 수의 합과 차를 만드세요. (단, 더하는 순서가 다른 식은 다른 것으로 봅니다.)

⑦ 합16

$9+7=16$
$8+8=16$
$7+9=16$

⑧ 차4

$13-9=4$
$12-8=4$
$11-7=4$

✏️ 빈칸에 알맞은 수를 쓰세요.

③ $8-4=4$

④ $12-6=6$

⑤ $14-7=7$

⑥ $18-9=9$

✏️ 알맞은 길을 그리세요.

⑨  12 −4 +2 5 −6 3

실력 평가

칸토의 연산 초1 3권 실력 평가

① $4+9=13$
② $7+8=15$
③ $7+6=13$
④ $5+9=14$
⑤ $6+6=12$
⑥ $14-9=5$
⑦ $17-8=9$
⑧ $16-8=8$
⑨ $14-7=7$
⑩ $13-6=7$

⑪ $6+8=14$
⑫ $12-9=3$
⑬ $5+7=12$
⑭ $15-8=7$
⑮ $9+9=18$
⑯ $4+7=11$
⑰ $18-9=9$
⑱ $17-8=9$
⑲ $7+9=16$
⑳ $11-8=3$

16

The essence of mathematics is freedom.

수학의 본질은 자유로움에 있다.

Georg Cantor(1845~1918)

모 델 명: 칸토의 연산
제조년월: 2022년 8월 | 제조자명 : ㈜씨투엠에듀
주소 및 전화번호 : 경기도 수원시 장안구 파장로 7(태영빌딩 3층) / 031-548-1191
제조국명: 한국 | 사용연령 : 만 3세 이상

이 책의 전부 또는 일부에 대한 무단전재와 무단복제를 금합니다.
홈페이지 : www.c2medu.co.kr | 지원카페 : cafe.naver.com/fieldsm